HET THEATER, DE BRIEF EN DE WAARHEID

Dit Boekenweekgeschenk wordt u aangeboden door uw boekverkoper

Harry Mulisch

HET THEATER DE BRIEF EN DE WAARHEID

Een tegenspraak

EEN UITGAVE VAN DE STICHTING COLLECTIEVE
PROPAGANDA VAN HET NEDERLANDSE BOEK
TER GELEGENHEID VAN DE BOEKENWEEK 2000

Productie: Uitgeverij De Bezige Bij
Omslagillustratie: Bruno Ernst © Beeldrecht
Omslagontwerp: Robert Nix
NUGI 300
ISBN 90 7433 699 X
Dit boek is gedrukt op 100% chloorvrij geproduceerd papier

Wie begrepen wil worden, geve geen uitleg.

Diderot, PARADOX OVER DE TONEELSPELER

I

HERBERT

De aula van het crematorium in Amsterdam is uitgevoerd in kale grijze baksteen, even kaal en grijs als de lucht boven de stad en de calvinistische ziel. Er was veel belangstelling, vooral uit de theaterwereld; iedereen kende iedereen, maar er waren ook journalisten, vooral van de sensatiepers. Ook een paar in zichzelf gekeerde mannen, die er uitzagen als politie. Zelf kende ik Herbert alleen oppervlakkig: als jongeman had hij eens in een stuk van mij gestaan. Dat ik nu plotseling over die crematie schrijf, twaalf jaar later, anno domini 1999, komt omdat een toneelgezelschap mij onlangs vroeg een 'dramatische monoloog' te schrijven, want dat was een misdeeld genre,– ofschoon het westerse theater 2500 jaar geleden, bij de grieken, toch met zoiets was begonnen: de klassieke, dionysische dithyrambe, waaruit de tragedie voortkwam. Ik dacht toen meteen aan die onwaarschijnlijke crematieplechtigheid van 1987. Ik was er niet alleen heen gegaan uit piëteit, ook uit nieuwsgierigheid. Ik had het onbestemde gevoel dat er iets ging gebeuren.

Toen wij toegelaten werden, zaten hij en zijn familie en vrienden op de eerste twee rijen. Niemand van hen draaide zijn hoofd om. Herbert, tegen de veertig toen, zat in het midden van de voorste rij, geflankeerd door zijn zoon en dochter. Hij hield hun handen vast en zij keken naar de witgelakte kist, opgebaard te midden van bloemen, en naar de reusachtige, ingelijste foto van Magda, Herberts vrouw; getooid met een zwart lint stond hij op een ezel. Ik had haar een paar keer vluchtig ontmoet, waarbij zij een bescheiden, sympathieke indruk op mij maakte; ik had geen idee waaraan zij gestorven was. Aan de andere kant van de kist, die ten overstaan van al die zittende en staande mensen op een verzengende manier het *liggen* vertegenwoordigde, brandde op een manshoge kandelaar een kaars, zo dik als een ouderwetse kachelpijp. Een perfect toneelbeeld.

Opzij stonden een paar fotografen en journalisten met taperecorders; ook was er een verslaggever van een plaatselijk televisiestation met een videocamera, ik kende hem en de volgende dag belde ik hem op en vroeg of hij mij een kopie van zijn bandje wilde sturen. Ik had meteen al het gevoel, dat ik misschien iets met die gebeurtenis kon beginnen; maar dat idee verdween naar de achtergrond, zoals dat wel meer met ideeën gebeurt. Nu, hier in mijn warme werkkamer, terwijl de avond valt over het drukke, winterse plein, draai ik het bandje voor de eerste keer af en ik zie het allemaal weer op het scherm. Daarmee is ook de vraag verschenen, wat ik er mee beginnen kan. Ik heb besloten alles eerst maar eens zo nauwkeurig mogelijk op de computer te zetten, ook uit mijn herinnering, daarna zie ik wel verder. Het zal een beetje een geestdodend karwei worden, mij door Herbert te laten dicteren en steeds de band aan en uit te moeten zetten, maar dat moet dan maar. Vervolgens zal ik zijn verhaal natuurlijk moeten veranderen, vervormen, er een heel andere draai aan moeten geven, zodat het loskomt van hem,– maar daar ga ik nu nog niet over nadenken: het moet ook voor mijzelf een verrassing blijven. Te zijner tijd zal ik hem natuurlijk om toestemming moeten vragen of ik zijn rede mag gebruiken voor een monodrama; misschien kan hij het trouwens zelf spelen. Sinds die bizarre ochtend heb ik hem niet meer gesproken; hij komt kennelijk in andere cafés dan ik, of helemaal niet in cafés. Nu en dan lees ik zijn naam in toneelrecensies.

Omdat er te weinig stoelen waren, moesten veel mensen achterin staan; zelf vond ik nog een plaats opzij, in de vensterbank van een geblindeerd raam. In de wachtruimte had ik een praatje gemaakt met een iets jongere collega, Vera, die naast mij kwam zitten. Op het moment dat iedereen binnen was, viel er om een onverklaarbare reden plotseling een totale stilte. Even later weerklonk zachte muziek, die meteen als een onzichtbare, bovennatuurlijke aanwezigheid al het andere onwerkelijk maakte. Ik herinner mij dat Vera fluisterde:

'Van wie is dat?'

'Richard Strauss, geloof ik. Een van de *Letzten Lieder.*'

Toen de stilte weer bezit had genomen van de aula, deed de doodbidder een paar stappen naar voren en maakte, hoed in de hand, een uitnodigend gebaar; zijn uitgestreken gezicht, verteerd door beroepsmatige smart, moest de droefenis van de nabestaanden uitbeelden, wat niet erg lukte. Dit was het moment waarop de band startte. Herbert, zelf in elk geval de betere acteur, stond op en liep gebogen naar de katheder. Hij droeg een donker pak en een zwarte das, die scheef zat. Langzaam richtte hij zijn hoofd op en overzag met heersersblik het publiek.

– Mijn allerliefste Magda!

Zijn zware, geoefende stem, waarin nu en dan een merkwaardig, hoog snikje meespeelde, vulde meteen alle uithoeken van de aula. Hij sprak uit het hoofd, ook aantekeningen had hij niet neergelegd. Met een breed gebaar wees hij opzij naar de kist.

– Ik zeg 'allerliefste Magda', maar ik kijk niet naar die kist daar. Die verbergt wat er van je over is en dat is niets. Ik kijk naar jullie, lieve mensen. Wat daar in die kist zit, zal zo dadelijk hier beneden in de kelder in het vuur verdwijnen en zich dan hier boven verenigen met al die miljoenen die eerder door de schoorsteen zijn gegaan. Door de schoorsteen zijn gegaan... ik weet niet hoe het met jullie is, maar mij doet die uitdrukking ergens aan denken...

Even schokte er iets door hem heen en gedurende een paar seconden kon hij niet verder spreken. Hij zag er wat verwilderd en slecht geschoren uit.

– Nee, ik geloof niet dat dat overschot kan horen wat ik zeg. Ik geloof ook niet, Magda, dat je ziel nog ergens bestaat en mij nu kan horen. Geloofde ik het maar! En toch spreek ik je toe – niet de dode Magda in een kist, maar de levende Magda in mijzelf. Die hoort wat ik zeg. Net als al die andere Magda's hier, in jullie, in onze familie en vrienden en collega's. Dat hoef ik niet te geloven, want dat weet ik. Er leven op dit ogenblik hier in deze aula even veel Magda's als er aanwezigen zijn, en al die Magda's zullen even lang leven als wij. Pas wanneer de laatste van ons is gestorven, zal ook Magda dood zijn. Lieve Magda's dus. Ik ga jullie nu alles zeggen. Achttien jaar lang waren wij samen. De stormachtige manier waarop wij elkaar leerden kennen, was achteraf een voorbode van het noodweer dat wij voor de boeg hadden. Ik stond in *De storm* van Shakespeare, jij was leerlinge van de toneelschool. Als jeune premier speelde ik Ferdinand, nog steeds herinner ik mij een paar clausen.

Hij hief een hand op en declameerde de verzen, tegelijkertijd de acteur acterend die hij was:

– Ik ben, Miranda,

Een prins naar 't bloed; misschien – ik hoop het niet! –
Reeds koning, en ik zou dit hout-gezeul
Zo min verduren, als dat ik een vlieg
Mijn mond bevuilen liet.

En toen vlogen uit de donkere zaal opeens tomaten het toneel op. Ik kon het eerst niet geloven, ik dacht dat het rode rozen waren, maar het was de revolutie, het begin van het einde. Jij had ook gegooid, maar die avond heb ik je niet gezien, rookbommen ontploften, de voorstelling werd afgebroken, het doek viel en daarachter luisterden wij verbijsterd naar het tumult dat in de zaal losgebroken was. Pas een paar dagen later zag ik je voor het eerst. In diezelfde Stadsschouwburg werd toen een discussie over het nederlandse toneelbestel belegd. Ik zat op het toneel, voor het neergelaten brandscherm, tussen de andere acteurs en de directie van het gezelschap,– aan de verkeerde kant van de scheidslijn dus. De zaal zat vol oproerkraaiers, die zich achter de microfoons verdrongen. Toen zag ik jou opeens. Steeds als een van ons het beleid van ons gezelschap en onze vermolmde opvoeringspraktijk verdedigde, kwam jij overeind van je stoel op de derde rij en begon op je vingers te fluiten. Dat kunstje heb ik zelf nooit kunnen leren, en wat zag je er schitterend uit: als een betoverende sirene, met je ranke vogellichaam. Meteen na afloop van die zinloze bijeenkomst ging ik naar je toe, en ik weet nog hoe schichtig je om je heen keek toen je werd aangesproken door zo'n ploert uit het vijandelijke kamp. Zo was de sfeer in die wilde dagen.

Ik zag – en ik zie het nu weer – dat hij bij die herinnering zoiets als een lach moest onderdrukken. Dat dat zo was, onder deze omstandigheden, gaf iets aan van zijn onverwoestbaarheid. Zelf wist ik het trouwens ook allemaal nog, ik was ook bij die bijeenkomst geweest. Toen een leider van het gezelschap had gezegd, dat zij zich lieten leiden door twee vragen, *wat* spelen wij en *hoe* spelen wij, was ik naar de microfoon gelopen en had gezegd dat de belangrijkste vraag ontbrak, namelijk: *voor wie* spelen wij – en dat dat de crux van het hele oproer was. Ik had gelijk, maar ik denk niet met voldoening aan mijn interventie terug. Hij was een begenadigd acteur, die een hoofdrol had gespeeld in mijn eerste stuk, en de verwonderd-verwijtende blik waarmee hij mij nu aankeek, zonder iets te zeggen, maakt mij nog steeds beschaamd.

– Door jou werd ik toen een overloper, een deserteur, en dat heeft mij bevrijd. Hoe was ik opgeleid? Tot een slaaf van de tekst, die ik precies zo had te spreken als de regisseur het wilde. Ook elke beweging werd door hem aangegeven, zonder zijn goedkeuring mocht ik zelfs mijn benen niet over elkaar slaan. Eigenlijk was ik niet meer dan een levende buiksprekerspop, en daar heb jij een eind aan gemaakt met je tomaat. Oudere acteurs en actrices kwijnden weg, hun carrières waren gebroken en zij groetten mij niet meer op straat. Maar dank zij jou, en samen met jou, kwam ik terecht in dat bonte circuit van alternatieve, kleine gezelschappen, dat toen ontstond, en die allemaal experimenteerden met nieuwe vormen. Wat een tijd! Als ik er aan terugdenk, is het alsof ik 's nachts in een verlaten landschap een verlicht huis zie waar een groot feest aan de gang is. In plaats van in theaters speelden we op pleinen, in tenten, op dekschuiten, aan het strand, in vervallen fabrieken, scholen, verlaten kerken, kazernes, gevangenissen. In morsige achterafzaaltjes ontketenden wij heksenketels van woorden, acrobatiek, muziek, projecties van dia's en films, je kon het zo gek niet bedenken. Toneelschrijvers kwamen er niet meer aan te pas, we maakten alles zelf, tot en met de decors. Wat we maar vinden konden of zelf bedachten, plakten we aan elkaar. Vroeger was de tekst alles en wij waren niets, nu was de tekst niet belangrijker meer dan andere elementen van de voorstelling, alles was gelijkwaardig,– dat wil zeggen, de acteur was plotseling even belangrijk als de tekst, nee, belangrijker, veel belangrijker!

'Daar was jij, denk ik, destijds niet blij mee, Felix,' fluisterde Vera in mijn oor.

'Breek me de bek niet open.'

Ja, verdomme, dat was een ontwikkeling die ik niet had voorzien, en die mijn liefde voor de theaterrevolutie aanzienlijk bekoelde,– mijzelf ten val brengen, dat was nooit mijn bedoeling geweest. Uiteindelijk had het tot gevolg, dat ik jarenlang niet meer voor het toneel schreef. Maar Herbert dacht er anders over:

– Wat een opluchting! Van marionet tot mens! Ik voelde mij als een tot levenslang veroordeelde, die plotseling gratie krijgt en de poort uit mag. Na die betonnen cel de wijde wereld, de drukte in de stad, de bossen, de sterrenhemel! Als ik vroeger Hamlet speelde, het hoogste dat een jong acteur kon bereiken, speelde ik niet Hamlet maar een acteur die Hamlet speelt; en als ik een rol had in een speelfilm, acteerde ik dat ik niet acteerde. Zelfs in het dagelijks leven speelde ik dat ik een acteur was. Nooit, nooit was ik mijzelf. Bovendien was er ook geen sprake meer van een regisserende dictator, er schalden geen bevelen meer, er werd vergaderd door het collectief, de koffiejuffrouw had even veel te vertellen als Shakespeare, misschien zelfs meer. En intussen zagen wij onvergetelijke voorstellingen, van het Living Theatre, Grotowski, La Mama, het Bread and Puppet Theatre. Weet je nog, Magda? We kregen twee kinderen, hadden het arm en waren gelukkig. Ik heb het gevoel, dat met jouw dood nu ook dat democratische feest definitief is afgelopen.

Met iets van vertwijfeling vouwde hij zijn handen en sloot zijn ogen even.

– De woorden stromen uit mijn mond als suiker uit een gescheurde zak. De helft van jullie heeft het allemaal zelf nog meegemaakt, en ik praat alleen maar zo veel omdat ik uit wil stellen, wat ik eigenlijk zeggen moet. Ik kan het niet, maar het moet, het moet. Lieve Albert en Paula, jullie zijn oud genoeg om te begrijpen wat er gebeurd is, maar niet oud genoeg om het te bevatten. Jullie hebben iets verschrikkelijks meegemaakt, het zal nog heel lang duren eer het werkelijk tot jullie doordringt, en misschien zal dat nooit gebeuren. Nooit zullen jullie, net als andere kinderen... altijd zal men jullie vragen, zo lang jullie leven, of jullie familie zijn van... Maar hopelijk overschat ik het geheugen van de mensen, hopelijk maakt de televisie de mensen zo oppervlakkig dat ze over tien jaar al niet meer... Ik raak in verwarring, neem mij niet kwalijk, ik moet mijn gedachten ordenen. Misschien had ik moeten opschrijven wat ik hier wil zeggen, maar om een of andere reden was er iets dat mij daarvan weerhield, alsof het minder waar zou zijn als het zwart op wit stond. Ik bedoel... nee, ik weet niet wat ik bedoel. Goed dan. De *Affaire Herbert Althans*. Het grote schandaal, waar de kranten mee vol stonden. De radio. De televisie. Moet ik daarover spreken, hier, bij deze gelegenheid? Juist nu? Moet dat hier opgerakeld worden, nu er kennelijk ook pers in de zaal is? Ja, juist nu. Er is iets dat ik pas nu zeggen kan, nu Magda er niet meer is.

Er ging een schok door de aula. Iedereen voelde, dat er een onthulling zou komen. Geschrokken keek ik naar haar portret: zij keek mij aan, zoals zij iedereen aankeek, ofschoon iedereen zich op een andere plek bevond. Terwijl ik dit opschrijf, schiet mij plotseling een voorval uit de jaren zestig te binnen; ik stop de band even om het te noteren.

Net als veel anderen las ik in die opstandige dagen Marx, Engels, Lenin, Marcuse en aanpalende revolutionairen, en vermoedelijk was ik een van de weinigen die tegelijkertijd de bedaarde angelsaksische filosofie bestudeerden, Russell, Austin, Quine; maar ik was beslist de enige die zich dan ook nog intensief verdiepte in het werk van Nicolaus Cusanus. Ik ben nooit eenkennig geweest, ik was nooit een partijman maar altijd een allround dissident, gewantrouwd dus door iedereen. Dat ik nooit bang ben geweest voor tegenstellingen, zelfs niet voor tegenspraken, ligt natuurlijk ten grondslag aan mijn zielsverwantschap met die dialectische kardinaal uit het begin van de vijftiende eeuw, de man van de *coincidentia oppositorum*, het 'samenvallen van de tegendelen' in God, wiens verzamelde geschriften ik nog steeds zou meenemen naar het beroemde onbewoonde eiland. Ik las niet alleen zijn hoofdwerken, zoals *de docta ignorantia*, 'Over het wetende niet-weten', maar alle minder belangrijke ook, zoals *de visione dei*, 'Over het zien van God'. Daarin spreekt hij over de schilderijen, waarop de geportretteerde de toeschouwer aankijkt. Waar men ook staat, men wordt aangekeken; wanneer de ene toeschouwer van links naar rechts loopt en de andere van rechts naar links, dan volgt hij beiden met zijn blik. Zo ziet God alle mensen, althans wanneer zij op hun beurt naar God kijken. Dit trof mij. In zijn tijd hadden maar weinig mensen ooit zo'n schilderij gezien, destijds was het een wonderbaarlijk fenomeen, terwijl men nu van vroeg tot laat zo wordt aangekeken, op foto's, affiches, en natuurlijk door televisiepresentators: iedereen in de kamer kijken zij aan, in miljoenen kamers, maar zelf zien zij niemand, alleen een glanzende lens. God, overwoog ik in Cusanus' geest, is een televisiepresentator die iedereen ziet die naar hem kijkt. Omdat de kerkvorst iets vanzelfsprekends onvanzelfsprekend had gemaakt, wat altijd een verdienste is, zocht ik in mijn werkkamer een portret op van iemand die in de lens keek. Het eerste wat ik vond was een grote foto van Lenin in een plaatwerk over de opbouw van het socialisme in de DDR, dat ik daar eens tijdens een theatercongres had gekregen. Ik zette het rechtop op de schoorsteenmantel en liet mij in het kader van mijn filosofisch-theologische studie volgen door zijn doorborende ogen. Een paar dagen later kreeg ik bezoek van een amerikaanse journalist, een al wat oudere man, die een artikel schreef over roerig Amsterdam en die als bijverdienste misschien ook voor de CIA werkte. In mijn woonkamer hadden wij een ontspannen gesprek over de troebelen, waarna ik hem op zijn verzoek mijn werkkamer liet zien. Zijn ogen ontmoetten die van Lenin en op slag versteende zijn gezicht. Omdat ik geen zin had mij met een ingewikkelde, ongeloofwaardige uitleg te excuseren, las ik een paar weken later in zijn krant dat het bolsjewistische virus in Amsterdam ook intellectuele en artistieke kringen had aangetast.

Ik heb daar destijds een verhaal over willen schrijven, *Gods blik*, maar dan verplaatst naar de nazi-tijd. Een brave professor in de middeleeuwse filosofie herhaalt het experiment van Cusanus met een foto van Lenin, een fascistische student die tentamen bij hem komt doen en daarvoor zakt, geeft hem aan bij de duitsers, hij wordt gearresteerd, zijn studeerkamer wordt kort en klein geslagen en hij verdwijnt in een concentratiekamp, waar hij bezwijkt in de steengroeven. Met dat verhaal is het niets geworden,– en eer dat nu ook gebeurt met het verhaal van Herbert schakel ik de video weer in.

– Er is iets dat ik pas nu zeggen kan, nu Magda er niet meer is. Waar moet ik beginnen? Wat jullie weten, of denken te weten, is dat drie maanden geleden bij mij 'de stoppen zijn doorgeslagen', zoals de kranten schreven. Toen zou dat weerzinwekkende stuk van die duitser opgevoerd worden, wiens naam ik nog steeds niet over mijn lippen kan krijgen. Hij was een geniale filmregisseur, ik ben de eerste om dat toe te geven, maar als er bij iemand de stoppen zijn doorgeslagen dan was het om te beginnen bij hem, toen hij *Het vuil, de stad en de dood* schreef. Dat was al jaren eerder verschenen, maar dat wist ik niet. Ook niet, dat er in Duitsland tumult was ontstaan over de antisemitische tendens van die heilloze klucht. Het stuk was vervolgens niet opgevoerd, alleen in New York was dat een keer gebeurd. Daar kan dat, want Amerika is ver van Auschwitz. In San Francisco kwam ik eens in een videotheek, waar de beruchte nazi-film *Der ewige Jude* in het rek stond, met als aanprijzing: *The most famous antisemitic movie ever made!* Geen probleem. Amerika is onschuldig wat dat betreft. Toen ik vroeg wat voor soort mensen die film huurde, kreeg ik te horen: 'Voornamelijk joden.' De europese première van *Het vuil* zou nu in Nederland plaatsvinden, in Rotterdam. Opvoering door leerlingen van de toneelschool. Daar had je die toneelschool weer, dat bizarre instituut, waar je leert om niet jezelf te zijn. De rel begon ook hier te ontstaan, de kranten schreven er over en ik kocht een exemplaar van de eerste duitse uitgave, verschenen bij het *Verlag der Autoren.* De verkrampte stijl deed mij denken aan Büchner en Wedekind, aan *Woyzeck, Lulu,* niet de slechtste traditie van het duitse theater; maar waarover ik in razernij ontstak was meteen al de rollenlijst. Daarin had iedereen een naam, behalve twee personages: *Der reiche Jude* en *Der Zwerg.* Ik geloofde mijn ogen niet. Precies die twee soorten mensen die door de nazi's systematisch waren uitgeroeid, moesten het hier zonder naam stellen. Wat was dat anders dan het literaire pendant van moord? In een latere uitgave bleek de rijke jood plotseling 'A.' te heten, '*genannt der reiche Jude*', waarvan in de nederlandse vertaling van *Der Müll, die Stadt und der Tod* dan maar meteen 'Abraham' was gemaakt,– maar dat waren natuurlijk doekjes voor het bloeden, uit die veranderingen sprak nu juist het slechte geweten. Nog even en hij zou 'Abraham R.' heten, en wat later 'Abraham Rothschild', en nog weer wat later 'Abraham baron de Rothschild'. *Der reiche Jude*... hoe haalde die frankfurter braadworst het in zijn hoofd! Ik stikte van woede. Niet, bij voorbeeld, 'de rijke projectontwikkelaar', maar *de rijke jood.* Wat was die kenschets anders dan de infame bevestiging van een lange, bloedige geschiedenis? Bovendien... Mijn vader is vergast in Sobibor, een vernietigingskamp waar niets van over is; maar toen ik later Auschwitz-Birkenau eens bezocht, zag ik in een vitrine duizenden schoenen, overgebleven van het laatste transport namelozen. In de zolen van vrijwel al die schoenen zaten gaten: die joden waren dus zelfs te arm geweest om naar de schoenmaker te gaan. De joden zijn altijd alles, rijk en patserig, arm en vies, kapitalisten, communisten,– en wat zij ook zijn, nooit deugt het. Maar wie in elk geval niet deugt, is iemand die inhaakt op die vooroordelen, en nog het minst wanneer hij een duitser is. Ik kreeg hartkloppingen, Magda moest mij kalmeren, ik moest gaan liggen, maar één ding stond voor mij als een paal boven water: onder geen voorwaarde mocht dat stuk in Nederland opgevoerd worden,– het land waaruit godbetert naar verhouding meer joden op transport naar de gaskamers waren gesteld dan uit Duitsland zelf.

Ook nu zie ik weer, dat zijn gezicht op een of andere manier een beetje uit elkaar begon te hangen, alsof de verbindingen tussen zijn ogen en zijn mond verbroken waren. Hij keek even onder het blad van de katheder of er een glas water stond, zoals natuurlijk altijd bij zijn voordrachten, maar hier was dat niet het geval.

– Begon het allemaal opnieuw? Werden de ovens van de crematoria weer opgestart, zoals ze nu ook hier beneden in de kelder staan te loeien? Ook in de kranten en op de televisie waren dagelijks discussies over herlevend antisemitisme. Er werden protestoptochten met fakkels gehouden, ik liep ook mee. 'Duitsland moet duizend jaar zwijgen!' schreeuwde ik. 'Duitsland moet duizend jaar zwijgen!' En toen kwam de avond van de besloten première, voor een paar honderd genodigden, waar ik ook bij hoorde. Bij de ingang was politiecontrole op wapens. Na afloop werd er fel gediscussieerd, een rabbijn verklaarde naderhand op straat voor de televisie, dat hij niet twijfelde aan de integriteit van de schrijver – maar ik wel. In het gedrang zei ik voor de camera, dat het stuk van een afgrondelijke morbiditeit was en dat de schrijver zich een paar jaar geleden niet voor niets van kant had gemaakt, en dat hem dat sierde. Met overslaande stem riep ik, dat het de tenuitvoerlegging van een autodoodstraf was geweest. Ja, mag ik misschien? Er waren mensen die applaudisseerden en de openbare première werd de volgende dag verhinderd. De volgende dagen verschenen er ingezonden brieven in de kranten, waarin ik verontrust terechtgewezen werd. Het zou mij sieren als ik de auteur van dat stuk posthuum mijn excuses aanbood voor die minderwaardige opmerking. Maar daar voelde ik niets voor. Het was hard wat ik had gezegd, maar het ging over harde dingen en als dat misbaksel hard mocht zijn, dan mocht ik het ook. Een van mijn vrienden – ik kijk hem nu aan – zei mij dat de rillingen over zijn rug liepen toen hij mij dat hoorde zeggen. Maar over mijn rug liepen nog heel andere rillingen. De volgende weken, toen ik allerlei dreigtelefoontjes kreeg, kon ik aan niets anders denken. Het afgelopen jaar had ik een tournee gemaakt met een voordracht, *De gedaanteverwisseling* van Kafka.

Toen Gregor Samsa op een ochtend uit onrustige dromen wakker werd, ontdekte hij dat hij in zijn bed in een reusachtig ongedierte was veranderd.

Zo voelde ik mijzelf intussen ook, maar nu moest ik weer een rol instuderen: Hendrik IV in het gelijknamige stuk van Pirandello. Ik kon nog geen vijf woorden onthouden. Tijdens de repetities liep ik als een zombie rond, alsof ik er niets mee te maken had. Ik wist niet meer welke dag het was, hoe oud ik was, welk jaar het was, ik kon nauwelijks nog slapen. Magda probeerde mij bij te staan, maar ik liet niets en niemand tot mij toe, ook Albert en Paula niet.

Hij keek hen aan, maar ook op de band kan ik niet zien hoe zij zijn blik beantwoordden. Ik schatte dat zij veertien en zestien jaar oud waren, dat wil zeggen op de grote grensrivier tussen kindertijd en volwassenheid,– de ware Lethe, de rivier van de vergetelheid. Ik probeerde mij voor te stellen, hoe het geweest zou zijn als mijn eigen vader had gedaan wat Herbert had gedaan, maar met die gedachte stootte ik op een muur,– dezelfde muur als die waar zij in de werkelijkheid tegenop gelopen waren. Herbert haalde diep adem en zei:

– En nu moet ik het over die rampzalige brief hebben. Wat jullie vorige maand in de kranten hebben gelezen, is het volgende. Ik kreeg een brief, waarin werd gedreigd met een moordaanslag op mij en mijn kinderen. Daarvan deed ik aangifte, waarop de politie vermoedde dat acteurs van *Het vuil, de stad en de dood* er achter zaten. Er volgde een inval bij de toneelschool, waarbij de studentenadministratie in beslag werd genomen, ze vergeleken de letters van de brief met die van de schrijfmachines daar, maar het leverde allemaal niets op. Kort daarna meldden de media, dat ik in Brugge première zou hebben van *Hendrik IV* en dat ik daar ontvoerd was. De volgende dag kregen jullie te horen, dat ik mij bij de politie in Mons had gemeld, waar ik vertelde dat ik op straat in een auto was gesleurd, geblinddoekt en dat ik de nacht geboeid had doorgebracht in een rioolbuis op een verlaten fabrieksterrein; dat ik mij had weten te bevrijden, de sporen aan mijn polsen had getoond en ook het nummer dat door de ontvoerders met een glasscherf in mijn linker onderarm was gekrast: zes miljoen één. Hier, je kunt het nog steeds zien.

Hij stroopte de linkermouw van zijn jasje op, toonde het en de videocamera zoemde er op in: *6000001*. De manchetknoop van zijn overhemd hoefde hij niet eerst open te maken, zo zorgvuldig had hij kennelijk alles voorbereid.

– De antisemitische achtergrond stond daarmee voor iedereen vast. Maar veertien dagen geleden kwamen jullie tot je verbijstering te weten, dat de belgische politie de zaak niet had vertrouwd en dat ik ten slotte had bekend, die ontvoering zelf in scène te hebben gezet, en bovendien, dat ik die dreigbrief zelf had geschreven. Dat was wereldnieuws, het stond zelfs op de voorpagina van de *New York Times.* Zo ver had nog geen nederlands acteur het gebracht. Daarmee was ik plotseling een beklagenswaardig psychiatrisch geval geworden. Een verknipte toneelspeler bedreigt zichzelf en zijn eigen kinderen met de dood en ensceneert zijn eigen ontvoering. Aan alle kanten ontmoette ik voornamelijk medelijden, ook bij Justitie. Ik was een verlaat oorlogsslachtoffer. Deskundigen legden uit, dat het allemaal terug te voeren was op mijn familiegeschiedenis. Mijn joodse ouders hadden zich al jaren voor de oorlog katholiek laten dopen, maar dat was voor de duitsers geen reden hen niet uit hun huis te halen en op transport te stellen. Ik ontsprong de dans omdat ik toevallig bij een vriendje speelde, net zo rooms als ikzelf. De parochie bracht mij toen onder bij een pleeggezin in Assen, een kinderloos echtpaar dat mij gedurende de rest van de oorlog opvoedde en dat erg aardig voor mij was. Maar na de oorlog werd mijn pleegvader, een politieman, ter dood veroordeeld omdat hij de levens van een groot aantal joden en verzetsstrijders op zijn geweten had. Dat zijn eigen pleegkind joods was, had hij niet geweten. Volgens mensen die er voor doorgeleerd hadden, leidden mijn twee vaders uiteindelijk er toe, dat ik mij zowel identificeerde met de beulen als met de slachtoffers, wat tot kortsluiting leidde en uitval van het licht. Omdat de dreiging van een hernieuwd antisemitisme niet door iedereen ernstig werd genomen, moest ik zelf het bewijs leveren dat men zich verschrikkelijk vergiste. Mooie theorie. Klopte als een bus. Maar misschien had juist dat toch achterdocht moeten wekken, want zo eenvoudig was het niet. Lieve Albert en Paula, lieve vrienden. Nu, op dit moment, nu Magda er niet meer is, kan ik dan eindelijk zeggen hoe het werkelijk was. Die brief was echt.

Die vier woorden, die binnen een seconde alles op zijn kop zetten, plaatste hij als een retorische scherpschutter. Net als iedereen probeerde ik te beseffen wat zij inhielden, maar dat lukte niet. Het moment deed mij denken aan een gebeurtenis van een paar jaar eerder, ik moest een lezing houden in Leiden, het was begin februari, tegen de avond ging ik er met mijn auto heen, en op een verkeersplein verloor de wereld opeens haar consistentie: de wielen trokken zich plotseling nergens meer iets van aan, niet van het stuur, niet van de remmen, niet van het gaspedaal. Het had geijzeld en van het ene ogenblik op het andere veranderde de zakelijke verkeersstroom in een feeëriek ballet. Ik zweefde, draaide drie keer om mijn as, naast mij draaide ook iemand om zijn as en nog steeds zie ik zijn betoverde glimlach. Het had verkeerd kunnen aflopen, maar er gebeurden geen ongelukken, het enige dat ontbrak was de muziek, van Tsjaikovski bij voorkeur, *Het zwanenmeer*... Herbert nam even de tijd om zijn woorden te laten bezinken. Ik zag dat hij tevreden was over het effect er van; het leek mij volkomen in orde, dat hij ook onder zulke emotionele omstandigheden zijn professionaliteit bewaarde. Trouwens, dat hij dit dramatische decor had gekozen voor zijn onthulling, getuigde daar ook van. De journalisten maakten notities of hielden hun recorders in zijn richting; één van hen ging op zijn tenen naar buiten, vermoedelijk om de nieuwe wending van de affaire meteen door te bellen.

– Als Magda nog had geleefd, lieve mensen, had ik nooit kunnen bekennen dat mijn bekentenis gelogen was. Ik zal jullie vertellen hoe het werkelijk gegaan is. Op een namiddag zat ik in de serre in de dunne winterzon, met op mijn schoot de rol van *Hendrik IV*, die nog steeds niet mijn hoofd in wilde. Het was zo'n dag, die alles wat je doet doordringt en transparant maakt en die op een of andere manier uit je kinderjaren lijkt te komen, toen de wereld nog in orde was. Juist in mijn geval was de wereld toen minder in orde dan ooit, en het lukte mij niet om in die nostalgische stemming te komen. Na alles wat er in de afgelopen weken was gebeurd, verkeerde ik in de toestand van iemand die te horen heeft gekregen dat hij kanker heeft, en die onafgebroken is omgeven door de kille mist van dat besef. Magda was naar de studio in Hilversum; sinds wij kinderen hadden, speelde zij alleen nog nu en dan een rol in een televisieserie. Toen zij tegen etenstijd thuiskwam gaf zij mij de brief, die zij uit de bus had gehaald. Haar hand beefde. Toen ik opkeek, zag ik dat haar gezicht wit weggetrokken was. Op de groezelige envelop, zonder postzegel, stond geen adres, alleen in schrijfmachineschrift: *Aan de teringjood Herbert Althans.* De afzender wist dus waar ik woonde; maar dat was niet moeilijk, want ik stond toen nog in het telefoonboek. Er naast was met rode ballpoint een hakenkruis gekrast, met er onder de woorden *Leve Hitler, weg met de Jidden!* Terwijl ik de brief las, en nog eens las, trok Magda haar jas uit en ging zwijgend tegenover mij zitten.

Uit zijn binnenzak trok hij een blad papier en vouwde het open.

– Dit is niet het origineel, het is een fotokopie, die ik destijds gemaakt heb eer ik met de brief naar de politie ging. Ik zal hem jullie voorlezen – ook al zal het zijn alsof een vlieg mijn mond bevuilt:

> *Vuile smerige Rot-parch!*
> *Rot-jood, rot-smous, rot-piegem met je arrogante joden smoel. Je dagen zijn geteld! Krijg de lupus pest in je besneje lul! Ze moeten jou en je verdoemde soort levend verbranden! Als Fassbinder niet word opgevoerd, gaat de beuk er in. Let is op! Jij en die gore Jiddenkoters van je zijn drie Jidden te veel! Neem maar vast afscheid van dat kankerwijf van je! Kan je weduwe weer een andere smous met platvoeten zoeken!*
> *Heil Hitler!*

Ondertekend: *Nederlandse Fascisten Jongeren Organisatie.*

Zulke taal had nog niet eerder weerklonken bij een uitvaart. Al die tijd was het stil geweest in de aula, nu leek het of het nog stiller werd dan stil. De kou van een andere wereld had de ruimte gevuld, het was alsof een vijver opeens bevroor. Iedereen wist dat er uitschot bestond met dat soort meningen, in staat tot dat soort brieven, maar vermoedelijk was niemand in de aula ooit van zo nabij in aanraking gekomen met zo'n product van naakte, bloedige haat. De inhoud van de brief was nooit gepubliceerd, en ook mij leek het ondenkbaar dat Herbert die schunnige tekst had geschreven, alleen om op frauduleuze manier zijn gelijk te halen. Vera boog zich naar mij toe en fluisterde in mijn oor:

'Waarom heeft hij dan in godsnaam gezegd, dat hij hem zelf heeft geschreven?'

'Je leest mijn gedachten.'

– Wat moet ik zeggen? Ik was geslagen, vertrapt, er is geen woord voor. Ik zat daar in die serre en het was alsof de zon als een steen onder de horizon was gevallen. Maar meteen besefte ik dat ik nu het bewijs in handen had, dat ik geen spoken had gezien al die weken, dat er wel degelijk sprake was van kwaadaardig antisemitisme in Nederland. Ik was dus niet gek. Degenen die mij voor gek hadden verklaard, waren gek. Hoe vreemd het ook klinkt, in zekere zin had dat besef iets van opluchting. Het woog natuurlijk niet op tegen het feit dat mijn kinderen nu met de dood waren bedreigd, en ikzelf ook, maar toch zat er een element van bevrijding in. Terwijl ik de brief las, had Magda onafgebroken naar mij gekeken, en ik moest hem ook haar toen natuurlijk laten lezen – tegen mijn zin. Als ik hem zelf uit de brievenbus had gehaald, had ik dat misschien niet gedaan. 'Weet je het zeker?' vroeg ik. Zij knikte, terwijl haar ogen de mijne niet loslieten. 'Schrik niet,' zei ik, terwijl ik haar de brief gaf. Maar wat haar overweldigde, was geen schrik,– het was iets dat ik nog nooit bij een mens had gezien. In een oogwenk vloog zij over de regels, verstarde even, gooide de brief van zich af, zette haar tanden in de mouw van haar witte blouse en scheurde de stof met een ruk open. Het leek werkelijk of zij haar haren uit haar hoofd wilde trekken. Met een schreeuw liet zij zich van haar stoel glijden en spreidde geknield haar armen, op een vreemde manier, zoals je bij parachutisten ziet eer hun parachute open is. Zij was in een wapperende vrije val terechtgekomen, zij gilde, bonkte met haar voorhoofd tegen de grond, sloeg met haar vlakke handen op de kokosmat. Ik kende haar niet terug. Altijd beheerste zij kritieke situaties beter dan ik, toen wij eens een begin van brand hadden en ik alleen maar op mijn benen stond te trillen, rukte zij een deken van het bed en doofde de vlammen,– maar nu werd zij meegesleept door een maalstroom van paniek, waarnaast mijn eigen shock na het lezen van de brief totaal verbleekte. Ik knielde bij haar neer en probeerde haar uit die draaikolk te trekken, ik zei dat blaffende honden niet bijten, dat iemand die iemand wil vermoorden niet zegt dat hij dat gaat doen, die doet het. Maar zij duwde mij weg en riep dat ik meteen Albert en Paula van school moest halen en in veiligheid brengen, bij haar ouders in Limburg, desnoods ergens in België.

Ik zag dat hij zich moest losrukken van de herinnering aan die scène. Hij keek naar een oud echtpaar op de eerste rij, van wie ik alleen de grijze achterhoofden zag.

– Ze doken toen bij jullie onder, opa en oma, meer dan veertig jaar na de oorlog, en een paar weken lang waren Magda en ik alleen. Pas als je kinderen hebt en die zijn weg, weet je weer wat het betekent om kinderen te hebben. De stilte die dan valt, is een heel andere stilte dan die er hangt wanneer je geen kinderen hebt. Het is niet zoals de naïeve stilte op de heide of in de bergen, maar zoals de stilte na een voorstelling als het gordijn zakt. Die moet onmiddellijk met applaus of desnoods gefluit verjaagd worden, zoals de boze geesten op oudejaarsavond met vuurwerk. Ik weet niet of ik mij duidelijk uitdruk... in elk geval...

Misschien raakte hij in verwarring omdat hij plotseling besefte, dat wat hij zei in nog hogere mate van toepassing was op zijn schoonouders, die hij toesprak en die inderdaad definitief hun kind hadden verloren. Misschien had hij dat aan hun gezicht gezien.

– Wat wilde ik zeggen? Ja, Magda en ik waren dus opeens weer alleen met elkaar, net als in onze eerste jaren, en in die weken waren de rollen volledig omgedraaid. Sinds die rel met dat verdomde toneelstuk was zij het die mij moest bijstaan, nu was ik degene die hulp moest bieden,– maar zonder succes. Het huis stond vol boeketten die ons toegestuurd waren, op tafel lagen stapels brieven waarin ons sterkte werd toegewenst, een paar onbekenden hadden zelfs bomen voor ons geplant in Israel, maar Magda was in een hopeloze depressie terechtgekomen. Tussen al die geurende bloemen staarde zij urenlang bewegingloos uit het raam, met Erwin op haar schoot, onze poes. Soms wilde zij zelfs haar bed niet uit. De meesten van jullie hebben haar gekend, jullie weten wat een vrolijk karakter zij had,– heel anders dan het mijne, dat heeft zo zijn redenen, misschien dat wij daarom zo'n goed koppel vormden. Maar plotseling was zij onherkenbaar. Wat ik ook zei, niets hielp. Ik zei dat die briefschrijver vermoedelijk een machteloze stumper op een huurkamer was en geen meedogenloze, kaalgeschoren neo-nazi. Die waren trouwens misschien ook stumpers, want in de concentratiekampen werd dat kapsel niet gedragen door de SS, maar door de gevangenen. De neo-nazi's, zei ik, waren romantische jongelui met heimwee naar het verleden, maar de echte nazi's hadden daar geen last van gehad. Dat was een heel ander slag; die waren niet gebiologeerd door een gruwelijk verleden maar door een gruwelijke toekomst. Ik had het allemaal even goed niet kunnen zeggen. Dat ik zelf ook met de dood was bedreigd, speelde intussen geen rol meer voor mij, ik nam geen enkele voorzorg, als ik naar de repetitie van *Hendrik IV* moest dan deed ik dat,– het enige waar ik mij ongerust over maakte, was of ik haar wel alleen kon laten; ik was met mijn gedachten alleen nog bij haar en bij de vraag, hoe ik haar van haar angst kon bevrijden. Op een dag zei zij, dat zij op deze manier niet verder kon leven, dat zij er liever een eind aan maakte. Toen drong het tot mij door, dat ik haar maar op één manier kon helpen: als ik kon bewijzen, dat die brief niet echt was geweest. Maar hoe? Ook dat kon maar op één manier: door te bekennen, dat ik hem zelf had geschreven.

Zo zat het dus in elkaar. Ik keek even naar Vera, allebei knikten wij.

– Het idee was te gek om los te lopen, maar ik raakte het niet meer kwijt. Bovendien moest ik nu snel beslissen, eer zij zichzelf iets aandeed; het had allemaal al te lang geduurd. Het motief was geen probleem: als de antisemieten zelf te laf waren om zich te ontmaskeren, dan nam ik die taak wel van ze over. Daarmee zou ik jullie, Albert en Paula, opzadelen met het beeld van een geesteszieke vader, ik zou een paria worden, nooit meer een rol krijgen, maar dat was het offer dat ik moest brengen voor mamma, die in levensgevaar verkeerde. Al die lieve mensen die ons bloemen hadden gestuurd en die bomen voor ons hadden geplant in Israel, zou ik natuurlijk ook op een verschrikkelijke manier voor het hoofd stoten. En wat voor reden kon ik hebben om nu plotseling met die bekentenis op de proppen te komen? Eenvoudig berouw? Dat was misschien te doorzichtig. Bij de politie waren ze ook niet achterlijk; zij wisten natuurlijk van Magda's toestand, en mijn redenering kon ook in hun hoofd opkomen. Bovendien hadden zij reden om speciale aandacht aan mij te besteden, want als ik werkelijk de schrijver was van die brief, dan had ik ze misbruikt: dan hadden zij voor niets een inval bij de toneelschool gedaan en voor niets een paar keer per dag en ook 's nachts door de straat gepatrouilleerd. Nee, voor de geloofwaardigheid moest er nog iets anders gebeuren, waarvan die bekentenis dan een ongedwongen bijproduct kon zijn.

Met een glimlach bleef hij even naar zijn kinderen kijken, plotseling straalde hij iets sereens uit. Van gek tot heilige! Herbert Althans als het Lam Gods! Het spijt mij dat ik ook nu hun gezichten niet kan zien, zij waren bevrijd van een ondraaglijke last en konden weer trots zijn op hun vader. Maar toen zag ik weer dat portret en die kist. Ik was het bijna vergeten. Wat was er met Magda gebeurd?

– Ja, daarvoor bedacht ik dus die zogenaamde ontvoering. Ik had nog een paar dagen om mij voor te bereiden, en ik overwoog alles zo nauwgezet mogelijk – van uur tot uur. Voor het eerst in mijn leven was ik echt creatief; ik voelde mij als een toneelschrijver die een intrige uitdoktert, behalve dan, dat mijn drama in de werkelijkheid opgevoerd zou worden, met mijzelf in de hoofdrol. Mijn enige zorg was eigenlijk, dat na mijn bekentenis de echte schrijver van die brief weer in actie zou komen, maar dat risico nam ik. Misschien had hij dat lor wel in een dronken bui geschreven, waar de hysterische onderstrepingen met rode ballpoint op konden wijzen, en was hij al lang blij dat de aandacht van hem was afgeleid. Enfin, toen kwam de dag van de première in Brugge, nu drie weken geleden. 's Ochtends deed ik daar de deur van mijn hotelkamer op slot en inspecteerde de inhoud van de versleten plastic sporttas, die ik in Amsterdam op de rommelmarkt had gekocht en gevuld met de ingrediënten voor mijn onderneming, als een goochelaar die op tournee ging. Terwijl ik naar de rol ijzerdraad keek, kreeg ik plotseling het gevoel of ik flauw zou vallen. Ik stond snel op, deed het raam open en met diepe teugen ademde ik de winterse vrieslucht in – op een of andere manier was het alsof ik het dodelijke schrikdraad rondom het kamp Birkenau had gezien. Pas toen drong het tot mij door, dat ik bezig was met iets dat mij wel eens boven het hoofd kon groeien. Ik kon nog steeds terug, ik kon de tas nog steeds in het Minnewater gooien en 's avonds opkomen als de koning die geen koning was,– maar daar kreeg ik misschien nog meer spijt van. Ik moest mijn eigen gang naar Canossa gaan. De première zou om kwart over acht zijn; wij hadden afgesproken, om zes uur met ons allen iets lichts te eten in het hotel. De technici waren al een paar dagen bezig met de opbouw van de decors, en tegen mijn collega's had ik gezegd dat ik mij nog wat wilde voorbereiden en dat ik liever alleen ging lunchen. Ik trok mijn donkerblauwe joggingpak aan, met een extra trui er onder, en ging met mijn tas naar een restaurant, waar ik een grote bak mosselen bestelde, want van eten zou voorlopig niets meer komen; ik had zin om er een fles witte wijn bij te nemen, maar ik bepaalde mij tot een paar glazen bier. Vervolgens ging ik naar het station. Onderweg werd ik dus niet in een auto gesleurd en ontvoerd, maar ik kocht een enkele reis Mons en nam de trein naar Brussel, waar ik moest overstappen. In een telefooncel in de aankomsthal belde ik daar mijn impresario...

zei hij en maakte een gebaar naar iemand op de tweede rij. Er speelde een lachje om zijn mond, ondanks alles schepte hij kennelijk genoegen in het vertellen van zijn verhaal. Mijn eerste gedachte was weer, dat hij toch wel een echte, gewetenloze kunstenaar was. Om bij stations te blijven, ook Tolstoj had natuurlijk vergenoegd in zijn handen gewreven toen hij klaar was met de scène, waarin Anna Karenina onder de trein komt, want zij was hem goed gelukt. Het verschil was alleen, dat Herbert zijn verhaal niet bedacht en geschreven had, maar bedacht en gedaan. Maar was hij dan eigenlijk wel een kunstenaar? En zo niet, wat dan? Een kunstwerk?

–... en ik voerde een ultrakorte sketch op, die ik tientallen keren had gerepeteerd. 'Ze hebben me te pakken,' steunde ik, toen ik hem aan de telefoon kreeg, 'ik... Zeg tegen Magda dat ik...' Ik kreunde, alsof iemand mij sloeg, en verbrak toen de verbinding. Ik moet dat levensecht gespeeld hebben, ook fysiek, alsof ik werkelijk een klap kreeg, want ik zag dat er iemand bleef staan met een gezicht of hij mij kon helpen. Ik maakte een gebaar dat alles in orde was, haalde mijn vingers door mijn haar en ging losjes fluitend naar het perron, waar de trein naar Mons klaarstond. Van dat moment af kon ik niet meer terug. Ik besefte dat in Nederland de paniek nu om zich heen greep, dat iedereen iedereen belde, dat de politie werd ingelicht, dat de nederlandse politie de belgische inlichtte, dat Magda en de kinderen nu gedurende een etmaal in de totale wanhoop gestort zouden worden, dat er naar Brugge werd gebeld omdat de première niet door kon gaan, dat in de parkeergarage van het hotel mijn auto aangetroffen zou worden,– maar ik liep intussen ongedeerd door de drukte van het Centraal Station in Brussel. Hoe moet ik het uitdrukken? Ik onderging iets van euforie. Het was alsof ik nog tot de wereld behoorde, maar tegelijk niet meer tot de wereld behoorde. Het had iets van een bevrijding. Onder normale omstandigheden zit een mens in de werkelijkheid gevangen als een vlieg in een brok barnsteen, zoals je die in een bepaald soort winkels kunt kopen, maar nu was het alsof de barnsteen plotseling gesmolten was en ik weg kon vliegen. Geen moment had ik dat voorzien, en ik weet nog dat dat geluksgevoel mij herinnerde aan heel diepe, bijkans mystieke ervaringen in mijn kinderjaren, toen ik in een tuin, of aan een vijver, overweldigd werd door het besef dat ik eigenlijk niet van deze wereld was. Epifanie! Maar intussen zat ik in de trein naar Mons in het zuiden van België, in het franstalige deel. Dat had ik uitgekozen omdat ik mij van talloze autotochtjes naar Parijs herinnerde, dat daar uitgestrekte industrieterreinen waren en sinistere zwarte bergen steenkoolstort van de gesloten mijnen. De Borinage heet het daar. De *Borinage* – wat een woord! De proletarische klassenstrijd spat er van af, dat hele verhaal, dat nu voorgoed in de geschiedenis is verzonken. Bovendien heb ik eens een voordrachtentournee gehouden met een collage uit de brieven van Van Gogh. In achttientachtig werkte hij als jong evangelist in de Borinage, waar hij aan zijn broer schreef: '*Menigeen heeft een machtig vuur in zijn ziel, maar niemand komt zich er ooit aan warmen en de voorbijgangers zien alleen wat rook uit de schoorsteen komen en lopen door*'. Toen ik aankwam begon het al te schemeren; omdat overal borden stonden met verwijzingen naar fabrieken, had ik binnen een half uur gevonden waar ik zijn wilde.

Wie kennelijk niet werd meegesleept door Herberts monoloog was de doodbidder. Misschien had hij zelfs niet geluisterd naar de voorgelezen brief en was hij met zijn gedachten heel ergens anders, aangezien de ervaring hem had geleerd, dat bij elke plechtigheid hetzelfde wordt gezegd over onvergetelijkheden en achtergelaten leegtes. Miljarden achtergelaten leegtes – en nog miljarden in het verschiet! Uiteindelijk zal de totale achtergelaten leegte zo groot zijn als het heelal. Maar nu begon er iets te veranderen in zijn onbeweeglijke gestalte, zoals in een boomkruin, wanneer op de avond van een windstille dag plotseling een lichte bries opsteekt. Zijn linkerhand rustte op de rug van zijn rechterhand, waarmee hij zijn hoed vasthield,– en wat er nu gebeurde, was dat hij zijn linker onderarm iets steviger tegen zijn heup drukte, zodat hij langzaam, langzaam zijn polshorloge uit zijn manchet kon schuiven, alles zo onmerkbaar dat het iedereen moest opvallen. Vervolgens was het moment gekomen om zich licht voorover te buigen, alsof hij even naar zijn schoenen keek, waarop hij besloot nog niet in te grijpen. Een klok tegen de achterwand van de aula was kennelijk niet passend geacht in het domein van de dood.

– Het was een woest landschap van enorme staketsels, afgedankte containers, bergen opgebroken asfalt, stapels rails, rottende rollen vloerkleed, verroeste wasmachines en andere dingen, die ik niet kon thuisbrengen in de diepe schemering, ook omdat ze waren overdekt met een dun laagje sneeuw. Verderop de lugubere steenkoolvulkanen, geflankeerd door verlaten schachttorens als orphische trappenhuizen naar de onderwereld. Het zag er uit als de aarde na de ondergang van de mensheid, alles was op een of andere manier grimmiger dan in het brave Nederland, er was niemand te zien. Op het dak van een loods stond in rode neonletters: *Solvay & Schrödinger*. Bij een kanaal, tussen allerlei ijzeren gevaartes, zoals een kolossale scheepsschroef, afgedankte machine-onderdelen en oudroest, ontdekte ik een grote betonnen rioolbuis, daar door een reus neergegooid als een gebruikte lucifer. Dat was precies wat ik zocht. Mijn sleutelhanger bestaat uit een zwak lampje, waarmee je tijdens een voorstelling een blik in het programma kunt werpen; daarmee scheen ik even naar binnen om te zien of er al iemand lag, en om zeker te weten dat ik niet tussen de uitwerpselen terecht zou komen. Uit mijn tas haalde ik een pak kranten en spreidde ze uit,– het waren nederlandse kranten, met opzet die waarop ik zelf was geabonneerd: een slimme rechercheur zou dan misschien argwaan krijgen. Ik kroop naar binnen en begon meteen met de voorbereidingen, eer het helemaal donker zou zijn. Thuis in Amsterdam had ik een fles Riesling kapotgeslagen en een scherf er van meegenomen,– expres met nog een stukje van het etiket er aan, zodat men zou kunnen ontdekken dat ik er nog twaalf flessen van had liggen. Ik stroopte mijn linkermouw op, ontsmette de scherf met mijn aansteker en kraste dat omineuze nummer in mijn onderarm. Ik voelde eigenlijk nauwelijks pijn, maar toen het er stond en de zeven cijfers met grote bloeddruppels begonnen te huilen, moest ik weer gedurende een halve minuut diep ademhalen om niet van mijn stokje te gaan. Ik droeg een gouden kettinkje met een davidsster, dat ik van mijn hals rukte en op de grond gooide. Vervolgens sneed ik een hakenkruis op mijn borstbeen. Ik zou het kunnen laten zien, maar misschien geloven jullie het zo wel. Ook de scherf gooide ik op de grond, in de hoop dat daarop alleen mijn eigen vingerafdrukken ontdekt zouden worden. Ik kreeg het koud, het vroor, en zonder op het bloed te letten maakte ik mijn kleren weer in orde. Ik legde twee libriumpillen op mijn tong en uit een kwart flesje cognac nam ik een paar stevige slokken. Toen begon ik mijzelf te boeien. Dat had ik niet gerepeteerd, stel je voor Magda had mij betrapt,– zij zou gedacht hebben, dat ik in het geheim een masochistische masturbant was. Maar als je een beetje visueel ingesteld bent, kom je met een gedachtenexperiment ook een heel eind. Nadat ik alles klaar had gelegd, zodat ik het op de tast kon vinden, plakte ik een strook tape over mijn mond, trok een ijsmuts ver over mijn gezicht en plakte die vast aan mijn kraag. Daarna bond ik mijn enkels bij elkaar met tape. Het moeilijkste kwam toen ik met ijzerdraad mijn polsen tussen mijn benen door aan mijn enkels moest vastbinden, maar ook dat lukte. Het was een gammele constructie, maar als men mij zou vinden zou men mij natuurlijk snel losmaken en dan niet meer kunnen zien, dat ik mij ook zelf had kunnen bevrijden. Ik liet mij op mijn zij zakken en deed mijn ogen dicht. De tas liet ik staan, die zou van mijn ontvoerders zijn: twee mannen en een vrouw. Vooral de vrouw had antisemitische taal tegen mij uitgeslagen.

Ik schoot in de lach, ik hoorde het zelfs op de band. Een paar verontruste gezichten draaiden zich naar mij om, waarop ik verontschuldigend even mijn handen ophief. Ook Herberts laatste zin behelsde een verbluffende salto van de verbeelding naar de werkelijkheid.

– Daar lag ik, eigenhandig geboeid en met dichtgeplakte lippen in een rioolbuis bij Mons, met het doel te bekennen wat ik niet had gedaan. Ik vroeg mij af hoe de wereld eigenlijk in elkaar zat, als zij tot zoiets absurds kon leiden. Ionesco en Beckett hadden blijkbaar toch een zenuw geraakt. Om de tijd te doden wilde ik deze gedachtengang vervolgen, maar het librium deed zijn werk en trok mij de diepte in, waar ik belandde in een koortsachtige droom, die ik niet zal vertellen. Niet omdat ik het niet wil, maar omdat het onmogelijk is een droom te vertellen. Als je droomt is alles normaal, maar als je wakker wordt en je vertelt je droom is alles idioot. Omdat je droom niet idioot was toen je hem droomde, vertel je dus iets anders dan je droom. Maar wat vertel je dan? Goed, ik droomde dus mijn onvertelbare droom, en ik werd wakker van gemiauw. Een kat was in de buis verschenen om mij gezelschap te houden. Ik had geen idee hoe laat het was, ik kon haar niet zien, maar even later voelde ik haar warmte tegen de ijsmuts over mijn gezicht. ‘Erwin’ wilde ik zeggen, maar probeer maar eens ‘Erwin’ te zeggen met gesloten lippen; dat lukt niet. Even later viel ik weer in slaap. Toen ik voor de tweede keer wakker werd, was de poes verdwenen en ik zag dat het al licht werd. Hoe laat was het? Ik was verstijfd, ik had het koud tot in mijn botten, pijn in mijn rug, de wonden op mijn armen en borst schrijnden en ik begon een beetje in paniek te raken. Hoe lang moest ik daar nog zo blijven liggen eer ik gevonden werd? De hele dag? Twee dagen? Misschien kwam hier eenvoudig nooit iemand en zou ik omkomen van honger en kou. In de verte ruiste de nieuwe dag, maar dichterbij heerste volkomen stilte. Ook moest ik opeens nodig plassen, wat ik niet kon ophouden, zodat ik het in mijn broek deed. Ik besefte dat het langzamerhand gekkenwerk werd, en plotseling, zonder eigenlijk het besluit daartoe genomen te hebben, begon ik mij los te maken. Veel moeite kostte dat niet, ik trok de ijsmuts van mijn hoofd en de pleister van mijn lippen en kroop naar buiten. Toen ik opstond viel ik meteen weer op de grond, en toen nog een keer.

Het was of hij bij de herinnering aan dat moment ook nu weer even wankelde. Ik kreeg het gevoel dat hij de droom die hij niet kon vertellen, nu toch verteld had. Ook was hij er in geslaagd, met zijn dramatische instinct de aula van het crematorium te veranderen in een theaterzaal, waarin iedereen aan zijn lippen hing. Het kon niet anders of hij had extra tijd gehuurd voor zijn bekentenis. Hij haalde een paar keer diep adem en vervolgde:

– Hoe ik daarna in Mons bij de gendarmerie ben gekomen, kan ik mij nog steeds niet goed herinneren; het was alsof ik een hersenschudding had gehad. Ik moet er verwilderd uit hebben gezien, smerig, rillend en ongeschoren, met ongekamd haar en in een doorweekte broek. Toen ik zei dat ik ontvoerd was, wilden zij mij vermoedelijk liefst de straat op schoppen, maar dat veranderde toen ik hun de verwondingen op mijn arm en borst liet zien. Op de telex bleek toen ook al een bericht van de nederlandse politie over mijn ontvoering te staan. Er werd contact opgenomen met de politie in Amsterdam, en zelf belde ik meteen met Magda. Toen zij mijn stem hoorde en begreep dat ik in veiligheid was, reageerde zij op een vreemde, gelaten manier. Ik had verwacht dat zij blij en uitbundig zou zijn, maar haar stem klonk mat, alsof zij achter glas zat. Met mijn collega's in Brugge, die nu ook hier zijn, was dat heel anders. De première was in het water gevallen, maar toen zij hoorden dat ik ongedeerd was leek het of ik de champagnekurken hoorde knallen; zij sprongen meteen in de auto om mij op te halen en naar Amsterdam te brengen. Ik werd verbonden, kon mij wassen, kreeg een ontbijt en een andere joggingbroek van de sportwinkel om de hoek. Eer de rechercheurs procesverbaal opmaakten, wilden zij de rioolbuis zien. Met twee politieauto's gingen wij op weg, op goed geluk, want met geen mogelijkheid kon ik zeggen waar het was. Vanaf het station had ik het kunnen vinden, maar dat zou wat al te doorzichtig zijn geweest. Nooit had ik beseft dat er zo veel fabrieksterreinen rondom een stad zijn, maar plotseling herinnerde ik mij het opschrift *Solvay & Schrödinger*, waarna de plek snel was gelokaliseerd. Toen ik de rommel in de buis terugzag, was het alsof ik er niets mee te maken had, alsof ik de nacht daar niet geboeid had doorgebracht maar optrad in een televisiethriller, waarin de moord ook altijd plaatsvindt op een fabrieksterrein, of anders in een parkeergarage of een jachthaven. Ik geloof dat ik zelfs even moeite had om niet in de lach te schieten. De politiemensen vonden in elk geval niet, dat er iets te lachen viel. Er werden foto's gemaakt van de situatie: de groene glasscherf, mijn ketting met de davidsster, die de vrouw van mijn hals had gerukt, het ijzerdraad, de kranten, de tas, alles werd met witte doktershandschoenen in plastic zakken geborgen; maar eer dat was gebeurd, werd ik teruggebracht naar het bureau om mijn verklaring af te leggen. Nu ging het er dus om. Tot in details vertelde ik in mijn stijve schoolfrans het voorbereide verhaal van mijn ontvoering, hoe een man en een vrouw urenlang met mij door België gezworven hadden op zoek naar een geschikte plek,– waarbij ik juist in die details een paar kleine ongerijmdheden had verwerkt, zodat ik door de mand kon vallen. Zo zei ik dat ik in een of ander uitgestorven dorp, dat nog steeds de klap van de Eerste Wereldoorlog niet te boven was, met een pistool in mijn rug naar Nederland had moeten bellen in een telefooncel, en ik hoopte dat ik over een paar dagen geconfronteerd zou worden met de vraag, hoe het dan mogelijk was dat mijn impresario het geluid van treinen had gehoord op de achtergrond. Nu en dan begon ik ook onzeker te stotteren, mijzelf tegen te spreken en te corrigeren, waar ik beroepshalve geen moeite mee had,– maar ook dat wekte geen argwaan: vanzelfsprekend was ik wat in de war na mijn afschuwelijke ervaring. Zelden was ik minder in de war. Enfin, mijn ondervrager, een al wat oudere man met kortgeknipt, steil haar in een coupe die je in Nederland nooit ziet, alleen in België en Frankrijk, schreef alles braaf op en las het mij voor, waarop ik mijn handtekening zette onder die lange leugen.

De ceremoniemeester was geleidelijk onrustiger geworden, en nu achtte hij het moment gekomen om een paar passen naar voren te doen en Herbert iets toe te fluisteren. Aan zijn lippen kon ik zien dat hij het woord 'afronden' gebruikte. De volgende dode wachtte om in de as gelegd te worden. Herbert knikte kort, maar ook op een manier waaruit bleek dat hij zich niets liet voorschrijven. Ik begon steeds meer respect voor hem te krijgen. Hij was natuurlijk gek, maar zijn radicaliteit boezemde mij afgunst in. Wie was ik zelf? Een toneelschrijver die alom geprezen werd, niet alleen in Nederland, maar hier was iemand die iets *gedaan* had. Het was volstrekt idioot wat hij had gedaan, maar hij had het gedaan,– en dat niet voor zijn eigen glorie, maar om iemand te helpen: de moeder van zijn kinderen. Hij wist natuurlijk dat zijn naam voor altijd verbonden zou blijven met die daad, de rest van zijn leven zou er door overschaduwd worden en hij zou nooit meer de onschuldige toneelspeler zijn die hij was geweest, één onder vele, maar voorgoed de man die gedaan had wat hij had gedaan: een *schuldige* toneelspeler.

– Diezelfde middag werd ik in triomf door mijn collega's naar huis gebracht, waar Magda op mij wachtte. En niet alleen Magda. Op de stoep stond een meute journalisten, radio- en televisiemensen, die ik onmogelijk kon ontlopen. Daar moest ik dus een soort persconferentie geven eer ik naar binnen kon. Aan de overkant zag ik voor bijna alle ramen gezichten, die naar mij keken; iets verderop stond een witte politieauto. Toen ik mij na tien minuten los wist te rukken, kon ik eindelijk Magda in mijn armen sluiten. Maar weer was het alsof het eigenlijk niet tot haar doordrong wat er was gebeurd. Zij zag er slecht uit. Dat begreep ik natuurlijk, ik had mijn doel nog niet bereikt. Er was een verschrikkelijke brief gekomen, onze kinderen waren ondergedoken en nu was ik ook nog ontvoerd: het was alleen maar erger geworden. De antisemieten schrokken kennelijk voor niets terug. Ik moest tijd winnen, haar bijstaan, haar er van overtuigen dat onze kinderen veilig waren, maar het was alsof zij zelfs niet hoorde wat ik zei. Mijn enige angst was nog steeds, dat de echte schrijver van de brief iets van zich zou laten horen, maar dat gebeurde gelukkig niet. Al drie dagen later, dat was vorige week, werd ik opgeroepen om te verschijnen op het Hoofdbureau van Politie in Amsterdam. Het uur van de waarheid had geslagen – of liever: het uur van de ultieme onwaarheid. Meteen toen ik binnenkwam in de kale, grauwe kamer waarin ik verhoord zou worden, zag ik dat het nu ernst was. Ik was gewend om met kunstenaars om te gaan, dat wil zeggen met fantasten, altijd bereid in lachen uit te barsten; maar als kunstenaars van water zijn, dan zijn politiemannen van steen. Uiteindelijk overwint het water ook de steen, maar dat neemt tijd in beslag. De twee rechercheurs achter de tafel met het formica blad, dat ik niet graag in huis zou hebben, keken mij aan met het soort blik, waarop hun soort sinds duizenden jaren het patent heeft; opzij, tegen de muur, zat een functionaris met gekruiste armen en over elkaar geslagen benen, ook weer met kortgeknipt haar van het model 'pleeborstel', zoals wij dat op de lagere school noemden,– niet de man die mij in Mons had verhoord, maar ongetwijfeld een belg. Nooit eerder was ik zo zeer *aangekeken* als toen door die zes koude ogen, het had iets dierlijks, de slang en het konijn; op een of andere manier was het fysieker dan wanneer zij overeind waren gesprongen en mij hadden vastgepakt. Die truc hadden zij natuurlijk geleerd tijdens hun opleiding, zelf was ik ook op de toneelschool geweest. Dat er een gevecht stond te beginnen tussen twee soorten acteurs, met de werkelijkheid als inzet, vervulde mij met aangename plankenkoorts, en ik twijfelde niet aan de uitslag.

'Volgens mij,' fluisterde Vera in mijn oor, 'is hij nog veel gekker dan we dachten.'

Ik knikte en keek even in haar donkere, melancholieke ogen.

'Het lijkt wel of hij het over iemand anders heeft dan zichzelf.'

'Misschien is dat ook zo.'

Ik begreep niet meteen wat zij bedoelde. Was hij zichzelf en tegelijk iemand anders? Maar ik wilde er nu niet over nadenken, ik wilde luisteren.

– Lieve vrienden en vriendinnen, ik heb al veel te lang gepraat, ik moet... Weer moest ik mijn verhaal doen, waarbij ik er voor zorgde dat het op een paar punten niet helemaal klopte met wat ik in Mons had verteld. Ik zei nu dat het vooral de man was geweest, die antisemitische taal tegen mij had uitgeslagen en de davidsster van mijn hals had gerukt, maar er kwam geen reactie; er werden zelfs geen aantekeningen gemaakt. Toen ik klaar was en het er naar uitzag, dat mijn opzet zou stuklopen op hun onzorgvuldigheid, vroeg de belgische rechercheur mij plotseling of ik nog eens wilde bevestigen, dat ik onder bedreiging van een pistool in een of ander dorp met mijn impresario had gebeld.
'Ja,' zei ik.
'Nee,' zei hij, 'dat heeft u niet. U heeft van het Centraal Station in Brussel gebeld. Dat hebben we getraceerd.'
Even schrok ik oprecht – maar meteen besefte ik dat dit nu het moment was. Ik stortte in. Daar had ik geen moeite mee, op de toneelschool leer je hoe dat moet, en naderhand had ik het talloze keren op de planken en voor de televisiecamera's gedaan. Mijn weerstand brak. Aan Brechts vervreemding had ik nu niets, het ging daar op het hoofdbureau niet om filosofie maar om psychologie, en daar had ik Stanislavski voor nodig, de Actor's Studio. Ik balde mijn vuisten naast elkaar op tafel, zodat de nagels in mijn handpalmen drongen, en liet mijn gezicht er op vallen, terwijl mijn lichaam schokte van de emoties die nu plotseling los-

kwamen,– ik stortte mij er in als een zwemmer na het startschot, ik voelde dat ik Marlon Brando en Robert de Niro evenaarde, er was geen verschil meer tussen mij en mijn rol, de kunst werd werkelijkheid, de werkelijkheid kunst, en zelf verdween ik daar op een of andere manier tussenuit. Gebroken hief ik mijn betraande gezicht op en bekende, dat ik die zogenaamde ontvoering zelf had geënsceneerd. Met hun stenen gezichten keken zij mij aan. Dat wisten zij dus al. Ik zei dat ik uit wanhoop had gehandeld, ik had het gedaan om iedereen er van te overtuigen, dat het antisemitisme in Nederland wel degelijk virulent en levensgevaarlijk was.

'Kunnen we dus zeggen, dat u over uw toeren bent geraakt door die dreigbrief?' vroeg een van de rechercheurs.

Ik boog mijn hoofd. Het was duidelijk dat ik met mijzelf worstelde. Het was of ik hun blikken op mijn kruin voelde. Ik sloot mijn ogen en haalde een paar keer diep adem.

'Die heb ik ook zelf geschreven,' fluisterde ik bijna onhoorbaar.

Ofschoon ik nog niet opkeek, merkte ik dat deze bekentenis hen van hun stuk bracht. Tot nu toe waren zij heer en meester van de situatie geweest, zij hadden mij betrapt, doorzien, ontmaskerd, de zaak-Althans was opgelost,– en nu was die zaak opeens nog veel krankzinniger. Dagelijks werden zij geconfronteerd met moord en doodslag, met de meest beestachtige toestanden,– die overigens onder de beesten niet voorkomen, want die zijn altijd onschuldig, alleen onder de mensen,– maar nu stonden zij plotseling van aangezicht tot aangezicht met... met...

Hij stokte. Voor het eerst kon hij niet uit zijn woorden komen. Wat wilde hij zeggen? '...met de waanzin van de fantasie'?

– Even maakte ik mij nog ongerust omdat zij het niet voetstoots aannamen. Zij zochten de brief op in het dossier en vroegen op welke schrijfmachine ik hem had geschreven. Het antwoord daarop had ik paraat. Ik zei dat ik op de rommelmarkt een tweedehands kofferschrijfmachine had gekocht, die ik naderhand van de pont naar Amsterdam-Noord in het IJ had gegooid. In een gracht waren zij misschien gaan dreggen. Een beetje baldadig zei ik er nog bij, dat de andere passagiers vermoedelijk dachten dat ik een gefrustreerde schrijver was, wiens verhaal niet wilde lukken. Gelukkig bestond de brief niet uit opgeplakte krantenletters, zoals je dat op de film ziet, want ik had niet kunnen zeggen welke kranten ik daarvoor dan gebruikt had; en even min was hij met de linkerhand geschreven, want ook dat had ik niet kunnen demonstreren.

Terwijl ik dit schrijf in 1999, op mijn computer, besef ik plotseling hoe lang twaalf jaar geleden intussen al is. Niemand heeft meer een schrijfmachine; die staan op zolders te verstoffen. Een tekst wordt geprint en uit de letters kan niets meer worden opgemaakt. Het is altijd dezelfde Times New Roman of Courier. Dat geldt trouwens ook voor de rol van de telefoon in Herberts geschiedenis: echte en verzonnen telefooncellen komen nauwelijks nog voor. Iedereen heeft een mobiel toestel op zak, bandieten in de eerste plaats. De afgelopen twaalf jaar is er meer veranderd dan gedurende de hele Middeleeuwen.

– Ook wilden zij weten, waar ik dat woord 'parch' vandaan had. Daar was ik ook op voorbereid. Ik was het nooit eerder tegengekomen, ik had het moeten opzoeken in het *Bargoens Woordenboek*, dat ik ooit van Magda op mijn verjaardag had gekregen, toen ik Mackie Messer speelde in de *Driestuiversopera* van Brecht. In de brief was het geschreven met *ch*, maar ik leerde dat dat de pools-jiddische spelling is; het stond onder 'parg' met een *g*. Het is een scheldnaam voor een jood, 'schurfthoofd'. Ik herinner mij, dat ik toen even dacht dat de brief misschien door een jood was geschreven – al was ik die jood niet; maar misschien had hij dezelfde drijfveren. Enfin, ik zei dat ik die term van mijn pleegvader had, een ter dood veroordeelde oorlogsmisdadiger. Zij knikten, ik zag dat zij het van mij aannamen, en dat sierde hen, maar het was onzin. Zij wisten niet dat de meeste oorlogsmisdadigers helemaal geen antisemieten waren in die zin. Mijn pleegvader, hun collega, pakte de drentse joden niet op uit haat of afkeer, maar eerder als een ambtenaar van de sanitaire dienst, die de ratten niet haat en daar ook geen scheldwoorden voor heeft, maar die ze eenvoudig uitroeit in dienst van de volksgezondheid, aangezien hem dat uitgelegd en opgedragen is. Hij deed eenvoudig zijn plicht. Ik bedoel, hij was geen emotionele neo-nazi, die weet dat het slecht is wat hij wil, maar een kille nazi, die dacht dat het goed was wat hij deed. In die zin was hij onschuldig, maar alleen in die zin; hij werd niet veroordeeld voor wat hij dacht, maar voor wat hij deed. Ik herinner hem mij als een hartelijke man, aan wiens hand ik zondags naar de mis ging en die mij grappige verhaaltjes vertelde eer ik ging slapen. Wat moet ik zeggen? Hij was veel erger dan een crimineel. Dat ik een joods onderduikertje was, hoorde hij pas na de oorlog, net als ik zelf. Het schijnt dat hij nog geprobeerd heeft het Bijzonder Gerechtshof wijs te maken, dat hij wel degelijk had geweten dat ik joods was; maar omdat hij dat niet tijdens zijn proces had aangevoerd, werd hij natuurlijk niet geloofd. Naderhand werd zijn straf omgezet in levenslang, maar eer hij vervroegd vrijgelaten kon worden, zoals al dat schorem, stierf hij aan een hartaanval. Zelf zat ik toen in een joods weeshuis, waar ik het kruisjesslaan moest afleren. Mijn pleegmoeder, die plotseling geen man en geen kind meer had, heb ik nooit meer gezien.

Met gebogen hoofd bleef Herbert zwijgen. Zijn woorden leken uit een andere wereld te komen, waar de meesten in de aula alleen maar over gelezen hadden en waarvan nu plotseling het rauwe vlees zichtbaar was. Als een roerloos blok beton hing de stilte in de zaal. Na tien of vijftien seconden ging hij zacht verder, zonder op te kijken:

– Mijn opzet was gelukt, maar tegelijk was er niets gelukt. Die middag vertelde ik Magda wat ik had bekend, en wat de volgende dag de wereld rondging. Ik had verwacht dat zij opgelucht zou zijn omdat de brief dus niet echt was, dat ik mij weliswaar had ontpopt als een meelijwekkend psychiatrisch geval, maar dat onze kinderen in elk geval niet in gevaar verkeerden. Zij konden meteen de volgende dag thuiskomen van hun limburgse onderduikadres bij opa en oma. Ik was er van uitgegaan, dat Magda zich bevrijd zou voelen en zich over mij zou ontfermen, als over een verlaat oorlogsslachtoffer, maar niets van dat alles. Ik zat tegenover haar in de serre, de planten en de rieten stoelen, alles ademde rust en vrede uit, zoals dat toegaat in serres: bovennatuurlijke plekken, tegelijk binnen en buiten. Toen ik uitgesproken was, bleef zij mij zwijgend aankijken terwijl de kleur uit haar gezicht wegtrok; even later draaiden haar ogen omhoog en zij dreigde flauw te vallen. Ik schoot naar voren, ving haar op en duwde haar hoofd tussen haar knieën. Daarna ging het even wat beter, maar plotseling moest zij overgeven. Op hetzelfde moment begreep ik, dat ik alles verkeerd had gedaan. Als een thrillerschrijver had ik een plot uitgedacht, en niet alleen uitgedacht, ook uitgevoerd, zodat...

Zijn stem werd steeds zachter, hij keek niet meer de zaal in maar naar het lege blad van de katheder, alsof het een beeldscherm was waarop een herinnering te zien was.

> – Maar ik kon natuurlijk niet meer terug. Of wel? Had ik... Maar waarom heeft zij toen de volgende dag... Wat was het dat zij niet verdragen kon? Waarom... waarom dan toch...

Aan de beweging van zijn lippen was te zien dat hij nog een derde keer 'waarom' zei, maar dat was niet meer te horen. Hij sloeg zijn ogen op, waarin nu tranen stonden, en het leek of hij nog iets wilde zeggen, maar dat lukte hem niet meer. Een paar seconden keek hij naar de kist, kwam plotseling achter de katheder vandaan, drukte een kus op het deksel en ging zitten. Het gebeurde zo abrupt dat ook de aanzegger niet meteen raad wist met de situatie. Daarop hief hij met een plechtig gebaar een hand op, wat voor iemand het sein was om weer muziek op te zetten, iets van Bach dit keer. Ik sloot mijn ogen om na al die woorden en emoties even tot mijzelf te komen met die ultrataal, die geen betekenis had maar de betekenis ver achter zich had gelaten. Toen ik ze weer opendeed, was de kist verdwenen. Pas nu, twaalf jaar later, zie ik haar langzaam naar de kelder zakken – waarna de band begint te sneeuwen.

Nooit smaken koffie en cake zo goed als na een afscheid voor eeuwig. Ik keek rond of ik de televisieverslaggever zag, maar hij was al vertrokken, net als de andere journalisten, die 's avonds en de volgende ochtend de kranten vol zouden schrijven; ik besloot hem morgen op te bellen. Liefst wilde ik meteen weg, om in de stad de doodsdraperieën van mij af te werpen; ik had zin iets te duurs te kopen dat ik niet nodig had, om vervolgens aan de leestafel van een rumoerig café na te denken over de artistieke mogelijkheden van Herberts optreden. Maar eerst moest ik hem nog condoleren. Ik sloot mij aan bij de queue en luisterde naar de zachte gesprekken voor en achter mij, waaruit bleek dat nog niemand van zijn verbijstering was bekomen. Met de zijnen stond hij op een rij, die mij deed denken aan oorlogsfoto's waarop een rij geblinddoekte mensen op de kogel wacht. Er hing een vreemde leegte om hem heen, die de journalisten er kennelijk van had weerhouden hem nog aanvullende vragen te stellen. Zonder iets te zeggen drukte ik zijn hand; aan de manier waarop hij mij aankeek, dacht ik te zien dat hij op een of andere manier aanvoelde dat ik iets met hem van plan was. Vermoedelijk zag hij dat aan de manier waarop ik *hem* aankeek.

Vera was ik kwijtgeraakt in de drukte, maar bij de uitgang kwam ik haar weer tegen. Samen gingen wij naar buiten.

Tussenspel

'Heerlijk! Frisse lucht!'

'Dat hebben we wel nodig. Sigaret?'

'Graag.'

'Toch deugt het hier niet. Moet je kijken, al dat steen, al die geparkeerde auto's. Gruwelijk. Het voorgeborchte van de hel is beslist ook van asfalt en beton.'

'Als ik het goed begrijp, laat jij je niet cremeren.'

'Niet in Europa in elk geval. Ben je ooit in India geweest? Aan de Ganges bij Benares liggen de lijken aan de oever te smeulen op kleine brandstapels, aangestoken door oude mannen, een heel vredig gezicht, met mooie witte rookpluimen. Vlakbij liggen heilige witte koeien in de zon, heilige hindoes gaan biddend kopje onder in het heilige water, overal poedelen kinderen, vrouwen doen de was... ja, zo valt er nog over te denken, als eerlijk handwerk, midden in de natuur en met honderden goden in honderden tempels. Maar dit hier? Dit industrieterrein? Ik vind trouwens dat de mens moet verdwijnen in een gat, want hij is ook verschenen uit een gat. De "schoot der aarde", weet je nog?'

'Misschien is het de keus of je terug wilt in je vader of in je moeder. Als je terug wilt in je moeder, moet je de aarde in; wil je terug in je vader, dan het vuur in. De zon in. Eigenlijk moeten alle vrouwen zich laten cremeren en alle mannen zich laten begraven.'

'Je bent zo logisch als alleen een vrouw kan zijn. Misschien is het maar beter, dat de wereld zo niet in elkaar zit.'

'En jij weet hoe zij in elkaar zit?'

'Natuurlijk, maar ik heb beloofd dat ik dat niet zou verraden. Wat moet er met jou gebeuren na je dood?'

'Mij mogen ze bij de vuilnisbak zetten.'

'Dan ben je dus vermoedelijk een vondeling.'

'Niet slecht getroffen. Zo voel ik mij wel eens.'

'Dat Magda verbrand wordt, beantwoordt in elk geval aan de theorie. Draai je eens om. Moet je kijken: daar gaat ze – die dunne rook uit die ellendige schoorsteen. Zie je die hete trillende lucht? Duizend graden. Het duurt anderhalf uur eer je bent opgestookt. Waarom zijn schoorstenen van crematoria toch altijd vierkant en nooit rond?'

'Omdat ze anders aan fabrieken zouden doen denken.'

'Zo is het. Want dat is wat ze zijn.'

'Zeg, je weet me wel op te vrolijken, Felix. Ik ben nog helemaal ondersteboven van daarnet. Hoe kan iemand welbewust zo'n ingewikkelde knoop van zijn leven maken?'

'Ik vind dat hij dat duidelijk heeft uitgelegd.'

'Maar intussen staan we hier te kijken naar de rook,

waarin de moeder van zijn kinderen opgaat.'

'Hij heeft toch Mackie Messer gespeeld in de *Dreigroschenoper*?'

Ja, mach nur einen Plan,
Sei nur ein großes Licht!
Und mach dann noch 'nen zweiten Plan,
Gehn tun sie beide nicht.

Ik ben geen liefhebber van die regels, ze zijn er op uit om je te ontmoedigen: begin er maar niet aan, het wordt toch niks. Wat een depressieve onzin, de wereld zit stampvol geslaagde ondernemingen, de *Dreigroschenoper* is er zelf een van. Maar in Herberts geval gaat het op. Hij kent zijn klassieken.'

'Je praat er nogal afstandelijk over.'

'Maar dat ben ik niet. In tegendeel. Jij zegt dat je ondersteboven bent, maar ik ben zo ondersteboven dat ik speel met de gedachte iets te doen met deze gebeurtenis.'

'Iets te doen? Wat te doen?'

'Ik weet het niet. Iets te schrijven. Het was toch theater van de bovenste plank wat we vanochtend hebben meegemaakt.'

'Wat een goed idee. Daar heb ik nog geen moment aan gedacht. Ben je niet bang dat ik het van je steel?'

'Dan zou ik het je niet vertellen. Ik weet het, veel schrijvers zijn dieven, Hermes is niet voor niets de uitvinder van het schrift en de god van de dieven en bedriegers, maar daar hoor jij niet bij. Hij is trouwens ook *psychopompos*, de begeleider van de gestorvenen naar de onderwereld. Op dit moment heeft hij Magda aan zijn hand.'

'Je raakt achterop, Felix. Je weet te veel, dat is niet modern.'

'Veel weten zou alleen maar gevaarlijk zijn als mijn talent kleiner was dan mijn kennis.'

'Ik wou dat ik ook zo zeker was van mijzelf.'

'Wees dus maar blij dat je minder weet dan ik. Helemaal ophouden met studeren, zou ik zeggen.'

'En jij? Steel jij nooit?'

'Dat zou ongemanierd zijn. Als iemand dan van mij zou stelen, zou hij er nooit zeker van zijn dat hij ook inderdaad van *mij* heeft gestolen.'

'Zeg, je vindt dat Herbert duidelijk heeft uitgelegd, waarom hij zo'n knoop van zijn leven heeft gemaakt. Maar hoe weten we dat hij dit keer de waarheid heeft gesproken?'

'Dat weten we niet en dat zullen we nooit weten. Wacht even, tenzij de echte schrijver van die brief zich meldt. Zo lang dat niet gebeurt, kan hij hem wel degelijk zelf geschreven hebben.'

'Ja, in dat geval heeft hij dat hele verhaal – dat hij het allemaal verzonnen heeft – misschien verzonnen om zich te rehabiliteren bij zijn kinderen.'

'Maar misschien ook niet.'

'Magda kan ons ook niet meer verder helpen.'

'Daar kan hij zeker van zijn. Je weet toch waar het woord *hypocriet* vandaan komt?'

'Dat heb ik nu even niet paraat.'

'Wat komt het dan goed uit, dat ik ouderwets ben. In het grieks was een *hupokritès* een toneelspeler, een "antwoorder" die reageerde op het koor; later kreeg het ook de betekenis "huichelaar", die het nog steeds heeft. Maar van meet af aan betekende het ook "droomuitlegger", en dat is toch eigenaardig. We moeten toch niet aannemen, dat de grieken droomuitleggers beschouwden als huichelaars en comedianten. Zoveel duizend jaar later kun je van Freud toch ook niet zeggen, dat hij een huichelaar en een comediant was.'

'Waar wil je heen?'

'Naar wat Herbert zei over dromen. Dat ze idioot zijn als je ze vertelt, maar niet als je ze droomt, en dat je dan dus iets anders vertelt dan je droom: maar wat? Dat vond ik een treffende opmerking; het is denkelijk ook de reden, waarom het surrealisme het niet heeft gehaald. Hij had ook kunnen vragen, wat het is dat je blijkbaar *niet* vertellen kunt. Ik weet niet, ik heb het vreemde gevoel dat daar ergens een sleutel ligt tot het wereldraadsel.'

'Toe maar.'

'Nooit bang zijn voor je intuïties, Vera, leer dat van een oudere collega,– ook al weet je niet waar ze je heen zullen voeren. Je moet het lef hebben je te laten kidnappen. En omdat je zo aandringt, ga ik nog een stap verder. De extatisch orakelende Pythia in Delphi sloeg verwarde klanken uit, die door een priester werden vertaald... of misschien moet ik zeggen: getaald... in begrijpelijke boodschappen. Dat is naar mijn gevoel net zoiets. Aan de ene kant heb je een vrouw die onverstaanbaar krijst, maar die dat zelf niet zo ervaart; aan de andere kant heb je een man die er een onderkoeld verhaal van maakt, een schokkende profetie, in gebeeldhouwde hexameters. *Tam-ta-ta tam-ta-ta-tam ta-ta-tam ta-ta-tam ta-ta-tam-ta.* Zij is zijn droom, zijn inspiratie. Met de metamorfose van de tekst verandert de vrouw als het ware in een man en de man in een vrouw.'

'Maar er moet dan toch nog een derde zijn, van wie *zij* het allemaal heeft.'

'Apollo, ja. Als we zijn oorspronkelijke spraak op een directe manier kenden, hadden we het wereldraadsel ontsluierd.'

'Wat was dat voor rare donderslag?'

'Dat heb je wel vaker in de winter.'

'Wat een belangstelling. Iedereen is er.'

'Ja, wat wil je? Er is sprake van een verhaal. Ze komen allemaal op het verhaal af, als bijen op de honing.'

'En niet op de mens?'

'Zo is het toch altijd?'

'Altijd... kom nou toch. Op een normale begrafenis komen alleen mensen die op een of andere manier persoonlijk verbonden zijn met de dode.'

'We bedoelen denk ik hetzelfde. Die mensen zijn hier ook, maar ze zijn ver in de minderheid; geen mens heeft honderden familieleden en vrienden. Dit is geen normale begrafenis. Moet je die twee kerels daar zien. Die kijken net iets te oplettend om zich heen,–volgens mij is dat politie. Er is alleen politie als er een verhaal aan de orde is.'

'Dat is dan zeker de literaire kritiek. Eigenaardige poëticale opvattingen houd jij er op na. Ieder mensenleven is toch een verhaal?'

'Natuurlijk, maar ik bedoel met "verhaal" iets wat iemand is voor mensen die hem persoonlijk helemaal niet kennen. Iets waardoor een kunstenaar pas echt zichtbaar wordt. Neem jezelf. Je hebt mooie toneelstukken en gedichten geschreven, maar waardoor heb je je vastgezet in het bewustzijn van de mensen? Door die witte lok in je zwarte haar, door het feit dat je in de jaren zestig met tomaten hebt gegooid en doordat je tegenwoordig op je boerderij je eigen groente teelt.'

'Maar van Shakespeare weten we helemaal niets, en die heeft zich toch ook vastgezet in het bewustzijn van de mensen, zoals jij dat noemt.'

'Dat is dan precies *zijn* verhaal.'

'Ja, hoor eens –'

'Nee, nee, zo is het. Dat heeft hij nooit zo gewild, maar het is wel het geval, net als de blindheid van Homerus en de doofheid van Beethoven. Je kunt het helemaal niet willen, het moet authentiek zijn, je kunt het niet ensceneren, daar kijkt iedereen dwars doorheen. Het moet door de anderen gedaan worden. Kafka de tuberculeuze kantoorklerk, Hemingway de jager op groot wild en zichzelf, Nabokov de ontheemde, en ga zo maar door. Een schrijver moet zelf ook een verhaal zijn, misschien moet je het zelfs een mythe noemen, anders blijft ook zijn werk in een mist hangen.'

'Wat een mediamieke onzin. Het gaat om het werk, en verder nergens om.'

'Zo? En waarom wordt een schilderij dan ingelijst? Het gaat toch alleen om het schilderij? Haal de lijsten maar eens weg uit het Rijksmuseum, dan houd je een tweederangs veilinggebouw over, met kijkdagen in plaats van openingstijden.'

'Laat maar, je hebt me al overtuigd. Hetzelfde geldt voor kleren.'

'Zo is het. Die maken de vrouw.'

'En welk verhaal is jouw lijst?'

'Dat moet jij zeggen. Kom, laten we naar binnen gaan, zo lang er nog plaats is.'

II

MAGDA

De onbewerkte, vurenhouten kist op de katafalk was overdekt met bloemen. Er naast, op een ezel, stond een ingelijste foto van Herbert, bijna een vierkante meter groot, in een bovenhoek getooid met een wit lint. Aan de andere kant brandde een reusachtige kaars, zoals je die in italiaanse kerken ziet.

Dat beeld zette zich vast op mijn netvlies, om er nooit meer van te verdwijnen. Maar dat is ook meteen het enige, dat ik mij nog scherp herinner. Wanneer zal ik toch ooit leren, onmiddellijk de literaire merites van een situatie herkennen? Ben ik eigenlijk wel een echte schrijfster? Misschien had ik na afloop regelrecht naar huis moeten gaan om alles nauwkeurig te noteren, maar daar was op dat moment geen reden voor. Die is er pas nu, twaalf jaar later, nu Toneelgroep Hypocriet mij om een 'dramatische monoloog' heeft gevraagd. Had iemand die ochtend maar een bandje mee laten lopen, waarvan ik de tekst als uitgangspunt kon nemen; ik heb wat rondgebeld bij een paar andere begrafenisgasten van toen, maar dat leidde tot niets. Ook Felix, die ik bij de oprit was tegengekomen en die in de overvolle aula naast mij stond, wist alleen nog een paar flarden. (Wel vroeg hij zich jaloers af, waarom hij zelf niet op het idee was gekomen om er iets mee te doen.) Ik kan het natuurlijk aan Magda zelf vragen: zij had aantekeningen op de katheder gelegd, die zij misschien nog heeft, maar dat vind ik ongepast. Laat ik eenvoudig maar eens beginnen met wat losse notities, naar het mij invalt, daarna zie ik wel hoe ik het structuur geef. Ik zal het haar ten slotte toch moeten laten lezen.

Niemand had enig idee wat Herbert gemankeerd had, ook Felix wist het niet; misschien was er een ongeluk gebeurd. Iedereen was nog vol van de sensationele gebeurtenissen die er aan voorafgegaan waren: de zogenaamde dreigbrief, die hij zelf geschreven bleek te hebben, gevolgd door zijn zogenaamde ontvoering, die hij zelf in scène bleek te hebben gezet.

Tussen haar zoon en haar dochter zat Magda op de voorste rij, hun handen in de hare. Aan haar achterhoofd kon ik zien dat zij naar de kapper was geweest. Zachte pianomuziek, die als een kristallen web in de witgekalkte ruimte hing; volgens Felix was het een van Satie's *Gnossiennes*. Eer zij opstond kuste zij even de vingers van haar kinderen. Zij droeg een eenvoudige, vrij lange witte jurk en geen kettingen of armbanden. Ik schaam mij er een beetje voor, maar wat kleren betreft laat mijn geheugen mij nooit in de steek, zo oppervlakkig ben ik; ik herinner mij nog al mijn jurken, broeken, truien, jassen, schoenen sinds mijn vijfde jaar; soms, als ik niet slapen kan, laat ik ze aan mij voorbij paraderen als op een temporele *cat walk*. Zelf had ik een zwart mantelpak aan. Magda legde haar aantekeningen op de katheder en wilde haar afscheidswoord beginnen, maar haar stem verstikte en zij begon zo heftig te snikken dat het ook mij bij de keel greep. Toen zij zichzelf weer in haar macht had, sprak zij over hun ontmoeting in de jaren zestig, tijdens de theaterrevolte. Volgens haar was Herbert om een of andere reden altijd er van overtuigd geweest, dat zij ook met tomaten had gegooid, die avond van *De storm*, nu meer dan dertig jaar geleden, maar dat was niet waar. Zelf was ik er ook, ik zat tegelijk met haar op de toneelschool, maar ik heb niet op haar gelet. Vervolgens sprak zij over haar ontmoeting met Herbert, tijdens een discussiemiddag in de Stadsschouwburg, een paar dagen later. Als ik mij goed herinner, mengde Felix zich daar toen ook in. Dat had ik ook wel gewild, maar zeker op die leeftijd was ik daar te verlegen voor.

Vrijwel geen ogenblik stond zij stil. Als een vleugellamme vogel fladderde zij in het kunstlicht heen en weer tussen de katheder en de kist, waar zij soms allebei haar handen op legde. Iedereen voelde dat zij werd opgejaagd door iets, niet alleen door Herberts dood; het leek alsof zij iets wilde zeggen, maar nog steeds niet had besloten of zij het zou doen of niet. Ik meen dat zij ook nog sprak over die periode van anarchistische theatervernieuwing (zelf ensceneerde ik toen in een gekkenhuis een voorstelling van Sofokles' *Antigone*, met psychiatrische patiënten, in een bewerking van mijzelf, waardoor ik ontdekte dat ik eigenlijk een schrijfster was) – en toen verscheen in haar geagiteerde lijkrede opeens de affaire-Fassbinder. Daar had iedereen natuurlijk op gewacht, ik ook.

'Daar heb je het,' fluisterde Felix, geloof ik.

Maar hoe ik mij ook inspan, ik kan niet meer achterhalen wat zij precies zei. Het is toch eigenlijk te gek om los te lopen, het moet toch ergens in mijn hersencellen begraven liggen, als een antieke ruïne in de aarde. Een armzalig magneetbandje kan toch niet beter werken dan mijn hersens! Toch is het blijkbaar zo. De uitvinder van dat bandje heeft met zijn hersens iets ontworpen dat, wat geheugen betreft, beter werkt dan zijn eigen hersens. Maar dat geldt eigenlijk voor de hele techniek. Met haar kunnen wij wat wij niet kunnen,– praten met iemand op de maan bij voorbeeld, of de allang vergane lijkenbergen in de concentratiekampen zien; en dat is allemaal nog maar het begin. Bijna iedereen vindt het doodnormaal, maar ik vind het wonderbaarlijk. Ik begrijp er eigenlijk niets van, en dat zal wel komen omdat ik een vrouw ben. Daarmee wil ik mij en mijn soort niet afvallen, in tegendeel: ik sla de filosofische verwondering niet lager aan dan het technische vernuft. Misschien vormen zij de twee polen van de menselijke geest, zoals vrouw en man die van het menselijk lichaam.

Hoe Magda het zei weet ik niet meer, wel – in grote trekken – wat zij zei. Dat Herbert volledig instortte toen hij hoorde dat *Het vuil, de stad en de dood* in Nederland opgevoerd zou worden. De dokter kwam er aan te pas. Op onvoorspelbare ogenblikken kreeg hij huilkrampen, niet alleen wanneer Fassbinder ter sprake kwam, ook wanneer hij Magda in de keuken hielp met afdrogen en zij over hun kinderen spraken. Hij moest tranquillizers slikken, zonder pillen kon hij niet meer slapen. Dat dat iets met zijn jeugd had te maken (ik geloof dat zijn ouders vergast waren) wist hij zelf natuurlijk ook, maar dat inzicht hielp hem niet. Inzicht is geen geneesmiddel, geloof ik, al beweerde Freud van wel. Hij moest een rol instuderen, maar hij kon zich niet concentreren. Gevoed door haat jegens Israel, die joodse triomf over Hitler, staken de moordenaars hun kop weer op. Het ging allemaal opnieuw beginnen. Niemand kon dat uit zijn hoofd praten, Magda niet, zijn vrienden niet, zijn collega's niet. Na een tijdje kreeg Magda de indruk, dat die pogingen zijn toestand alleen maar verergerden. Op een keer zei hij, dat in 1945 ook niemand wilde luisteren naar de overlevende joden, die uit de vernietigingskampen waren teruggekeerd. Natuurlijk, zij hadden het erg gehad, maar in Nederland was het ook erg geweest,– en wat dat tafelzilver betreft, nee, de buren konden zich niet herinneren dat zij dat ooit in bewaring hadden gekregen. Zijn toestand werd onhoudbaar. Hij voelde zich gesteund door de landelijke protesten tegen de opvoering van die farce over de rijke jood en de dwerg, maar na een besloten opvoering er van schreeuwde hij op straat voor de televisiecamera, dat dat stuk ongeluk terecht de hand aan zichzelf had geslagen, want antisemitisme had de aard van zelfmoord, zoals Hitler hoogstpersoonlijk had gedemonstreerd. Die opmerking werd hem niet in dank afgenomen, het leidde tot woedende reacties, kennelijk had hij in de roos geschoten. Nu was hij zelf opeens het moreel verachtelijke individu. Thuis beklaagde hij zich er over, dat schrijvers kennelijk heilig waren. Dat was aangenaam voor die schrijvers, maar een moorddadige antisemiet als Céline, in Nederland door een bepaald soort mensen zeer bewonderd, had natuurlijk de kogel moeten krijgen, en Ezra Pound ook, al had hij prachtige gedichten geschreven (waar zijn bombastische, Mussolini-achtige *Cantos* overigens niet bij hoorden) – maar dat is niet gebeurd, dank zij de voorspraak van andere antisemieten, zoals T.S. Eliot, die ook prachtige gedichten had geschreven.

Van dag tot dag werd hij rabiater. Ook zijn medestanders vonden dat hij de proporties uit het oog begon te verliezen: het stuk van Fassbinder mocht dan verachtelijk zijn, en het kon misschien inderdaad maar beter niet opgevoerd worden, maar om nu te concluderen dat er een nieuwe pogrom op het programma stond, was absurd. En die arme Magda moest het allemaal van 's ochtends vroeg tot 's avonds laat meemaken. Ja, dat is ook zoiets. De mannen laten zich meeslepen door hun obsessies, die hun soms zelfs een plaats in de geschiedenis opleveren, maar mevrouw Napoleon en mevrouw Einstein hadden niets te maken met het resultaat, het wereldrijk, de wereldtheorie, maar alleen met het alledaagse gezanik, de kwalen, de frustraties, de complexen, de nachtmerries, het schreeuwend wakker worden, de onbestemde angsten.

Opeens herinner ik mij weer de beklemmende sfeer in de aula. Op de katafalk lag de doodkist als een angstwekkend ding uit de diepten van het heelal,– het was alsof het zoiets als de versteende stilte omsloot, het absoluut negatieve, de ultieme vernedering. Nu ik dit opschrijf, voel ik weer de verkilling die in mijn botten drong. Het aantal begrafenissen dat ik heb bijgewoond is langzamerhand niet meer te tellen, en ik weet dat aan het eind daarvan die van mijzelf komt. Maar die zal ik niet bijwonen. Iedereen zal er zijn, behalve ik. En dat is precies het probleem – maar ook de geruststelling. Dood zal ik alleen voor de levenden zijn, niet voor mijzelf. Ik bedoel, ik kan niet dood zijn. Dood zijn altijd de anderen.

Soms bleef zij plotseling staan, secondenlang zwijgend, haar handen voor haar ogen. Als zij ze wegnam, keek zij naar haar kinderen, Albert en Paula, gescheiden door een lege stoel. Ik kreeg de indruk dat het hun aanwezigheid was die het haar zo moeilijk maakte, te zeggen wat zij zeggen wilde. Hoe zou het met hen gaan? Zij moeten nu achter in de twintig zijn. Ik ben geneigd te denken dat zij voor de rest van hun leven zijn gewond door wat er is gebeurd, maar misschien is dat helemaal niet zo. Misschien halen zij hun schouders er over op en denken: – Dat waren die malle ouders van ons, met hun eeuwige oorlog, God hebbe hun ziel, wij leiden ons eigen leven.

Het is zomer, de ochtend belooft een schitterende dag en ik zit in mijn grote rieten stoel onder een parasol op het terras te schrijven (met de hand natuurlijk), terwijl de libellen over de waterlelies scheren en de appelbomen vol hangen met het getjilp van de mussen, mijn lievelingsvogels. Daarstraks kwam een grote, volmaakt ronde, witte pluis langsgezweefd, rolde in de serre even over de mat en kwam wiebelend tot stilstand, maar het was of zij de vloer niet raakte. In het middelpunt een minuscuul bruin zaadje, omgeven door een vergeestelijkte stralenkrans. Toen ik even naar binnen ging om koffie te zetten, heb ik het kleine wonder per ongeluk platgetrapt tot een onherstelbare ruïne, wat mij een schuldig gevoel heeft bezorgd. Ik vrees dat ik er een gedicht over moet schrijven, maar ik hoor nog geen woorden. (Een gedicht moet door de taal gemaakt worden, niet door de dichter.)

Op welk moment kwam Magda met haar onthulling? Hoe leidde zij het in? Met geen mogelijkheid kan ik het mij te binnen brengen, maar wel weet ik dat zij op een bepaald moment met haar handen in haar haren greep en zei, dat Herbert een zwaar zieke man was. Die uitdrukking, 'zwaar ziek', hoor ik haar nog zeggen. Iedereen vond hem een meelijwekkende stakker, gekweld door waanvoorstellingen, en dat hij door niemand ernstig werd genomen leek hem nog meer aan te tasten dan de nieuwe jodenvervolging zelf, die hij zag opdoemen. Toen hij op een avond zijn dagelijkse fles wijn op had, hoorde zij hem vanuit een andere kamer hardop in zichzelf zeggen, dat hij het niet lang meer kon verdragen, dat hij er een eind aan ging maken. Zij ging snel kijken en zag hem opzij gezakt en met gesloten ogen in zijn fauteuil zitten, alsof hij al dood was. Dit kon zo niet langer. Er moest iets gebeuren – zij moest hem helpen! Maar hoe?

Zij werd steeds nerveuzer. Het hoge woord moest er uit, maar in welke etappes dat gebeurde, staat mij alleen nog vaag voor de geest. Twaalf jaar is lang,– zelf ben ik in die periode getrouwd en gescheiden. En eigenlijk doet het er niet toe: ik moet mijn monoloog voor Hypocriet uiteindelijk toch zelf opbouwen. Dit is allemaal maar voorlopig. Wel weet ik nog, dat zij zich nu uitsluitend tot haar kinderen richtte. Met iets smekends in haar blik keek zij hen aan en sprak niet meer over 'Herbert' maar uitsluitend nog over 'pappa'. Pappa, zei zij, verkeerde in levensgevaar. Hij was een roepende in de woestijn, en ten slotte voelde hij zich meer bedreigd door de stilte van die woestijn dan door datgene waar hij voor waarschuwde. Die stilte moest dus doorbroken worden. Er moest een antwoord komen, en snel ook, een harde schreeuw, waardoor de woestijn zich plotseling zou vullen met luisteraars. En dat kon maar op één manier: als zij zelf die schreeuw gaf, die bewees dat hij niet geschift was maar de tekenen des tijds beter begreep dan de anderen. Dat mocht hij natuurlijk nooit weten – maar nu hij er niet meer was, moest zij het vertellen. Zij wilde het geheim niet meenemen in *haar* graf; zij zou niet kunnen sterven als niet alles aan het daglicht was gekomen. Zij trilde over haar hele lichaam, tranen liepen over haar gezicht toen zij zei:

'Albert... Paula... kunnen jullie me vergeven? Niet pappa, ik heb die verschrikkelijke brief geschreven.'

Nooit zal ik dat moment vergeten. Het was als een blikseminslag. Ieder van ons was naar die begrafenis gegaan als naar een gebeurtenis, die niet meer betekenis had dan het formele woord *Einde* aan het slot van een roman uit vroeger dagen,– maar nu volgde op het woord *Einde* opeens nog een nieuw hoofdstuk, dat al het voorafgaande op losse schroeven zette. Dat was tegen alle afspraken in. Felix en ik keken elkaar aan.

'Dit kan toch niet waar zijn,' fluisterde ik ontzet.

Hij knikte op een vreemde manier en zei:

'Alles kan waar zijn.'

Net als iedereen in de aula werd ik bestormd door vragen,– met als belangrijkste natuurlijk: waarom had Herbert dan gezegd, dat hij het was die die brief had geschreven? Het was alsof de blikseminslag werd gevolgd door een aardschok, zoals ik die eens heb meegemaakt tijdens een internationaal theaterfestival in Kyoto. Tijdens de opvoering van een stuk van Dario Fo (geen idee meer, welk) begon de zaal plotseling te deinen als een boot, ik klampte mij vast aan de leuningen van mijn stoel, op het toneel verschoven de rekwisieten, dingen vielen op de grond en de acteurs probeerden met brede gebaren op de been te blijven, waar het overwegend japanse publiek onbewogen naar keek, alsof het bij de opvoering hoorde. Alleen Dario Fo zelf zat te lachen in zijn loge.

Terwijl te zien was wat een kwelling het voor haar betekende, las zij de liederlijke brief voor van een fotokopie, die Herbert er van had gemaakt. De details herinner ik mij niet meer, alleen het versteende auditorium en het weerzinwekkende woord 'parg'. Dat had zij gevonden in het *Bargoens Woordenboek*, dat zij Herbert eens op zijn verjaardag had gegeven. Als hij naar de repetities van Pirandello was, ontwierp zij de tekst zonder iets op te schrijven, alsof zij haar handen er niet mee wilde bevuilen. Ook trof mij haar bekentenis, dat zij de drang voelde om de boodschap steeds walgelijker te maken – het leek of niet zij de brief in haar macht had, maar de brief haar. Zij was niet de eerste die ervoer dat schrijven een riskante onderneming is, die je maar voor een deel zelf in de hand hebt. Toen haar hoofd helemaal vol zat met de smerigheid moest het er uit, maar ook het idee om de letters uit een krant te knippen en op te plakken stond haar fysiek tegen. Er moest een isolator tussen haar en de woorden komen: een schrijfmachine. Maar een oude schrijfmachine kopen en laten verdwijnen was haar te riskant; door de televisie was haar gezicht te bekend. Na een opname in de studio in Hilversum – waarbij de tekst van haar brief zich onafgebroken met die van haar rol vermengde – vroeg zij in de kantine aan een secretaresse of zij de schrijfmachine in haar kantoor even mocht gebruiken. Op een meegebracht, groezelig vel papier en een groezelige envelop verloste zij zichzelf van die verbale misgeboorte, zette met een rode balpen wat wilde onderstrepingen en kraste een hakenkruis. Zij wist niet meer of een hakenkruis met de klok mee of tegen de klok in draait, maar achteraf bleek zij goed gegokt te hebben.

'Een liefdesbrief?' vroeg de secretaresse toen zij binnenkwam.

'Ja.'

Dit zei Magda die middag in de aula niet, ik verzin het er nu bij, want het is de waarheid.

Op weg naar Amsterdam vroeg zij zich onafgebroken af of het goed was wat zij deed. Nu nog kon zij op de vluchtstrook stoppen en er een lucifer bij houden. De gevolgen waren natuurlijk niet allemaal te voorzien, maar dat gold voor alles wat je deed,– als het maar dat ene paradoxale gevolg had, dat Herbert er door geholpen werd. Thuisgekomen deed zij het kastje van de brievenbus open en dicht en ging met bonkend hart naar de serre, waar Herbert in zijn rieten stoel zat en met half gesloten ogen in de tuin staarde. Het script van Pirandello lag op de grond. Zij reikte hem de brief – en op het moment dat hij van haar hand overging in de zijne, wist zij dat zij een onherstelbare fout had gemaakt.

Dit kwam mij bekend voor. Ik ben acht jaar getrouwd geweest met een schaakmeester, die mij een paar keer heeft verteld (alsof één keer niet genoeg was) dat hij soms drie kwartier aarzelde over een zet, alle varianten doordacht,– maar als hij dan zeker was van zijn zaak en het betreffende stuk aanraakte, waarmee hij dus verplicht moest zetten, wist hij dat het verkeerd was en dat hij de partij zou verliezen, en daarmee soms de hele match. Het ziet er dus naar uit, dat in een ondeelbaar ogenblik een daad meer inzicht verschaft dan een langdurig denkproces. Maar misschien bestaat er nog een hoger niveau, waar denken en doen samenvallen. Misschien is dat de reden waarom hij nooit grootmeester is geworden en aan de drank is geraakt.

Herberts reactie was zo als zij had gehoopt. Na de eerste schrik riep hij met iets van opluchting, bijna met iets triomfantelijks: ‘Zei ik het niet? Zei ik het niet?’ Maar toen hij haar de brief liet lezen, die zij uit haar hoofd kende, drong de rampzaligheid van haar daad in volle hevigheid tot haar door. Zij had een muur tussen hen opgericht die tot in alle eeuwigheid niet geslecht kon worden, iets onvergeeflijks, een afgrondelijke leugen – uit haar woorden begreep ik, dat dat besef leidde tot een verscheurende aanval van wanhoop, als bij een gestalte in een griekse tragedie:

‘*Ai ai!*’

Nadat Herbert de politie er in had gemengd, was er helemaal geen terug meer mogelijk. Er trad een proces in werking, dat net zo min nog gestopt kon worden als een kogel na het verlaten van de loop. Heel fatsoenlijk Nederland stond op zijn achterste benen, haar kinderen waren ondergebracht bij haar ouders, terwijl hun veiligheid alleen werd bedreigd door wat zij zelf had bedacht, dat wil zeggen door niets. Met ieder nieuw blijk van medeleven zonk zij dieper weg in de ellende. Haar doel, Herbert te helpen, had zij bereikt, maar de prijs was dat zij hem had verloren.

Ik moet even in slaap zijn gevallen, want ik heb gedroomd, maar ik weet niet meer wat. Hoe is dat mogelijk? Hoe weet ik dan dat ik gedroomd heb? Toch ben ik er zeker van, ik voel de droom als een soort bal of bol diep in mijzelf, ergens onder in mijn buik; maar hoe ik mij ook inspan, ik kan hem niet zichtbaar maken. Dat is toch eigenlijk te gek. Iedereen heeft gedurende een derde van zijn leven geslapen en duizenden dromen gedroomd, maar daar hoor je vrijwel nooit iemand over,– het is hetzelfde als wanneer niemand ooit zou spreken over de donkere maanden november, december, januari, februari. Zouden dromen echt alleen maar afvalproducten van de hersenwerkzaamheid zijn? Ik denk dat de droom eerder de humus in de nachtdonkere grond is, waarin, omgeven door het gekrioel van insecten en maden en wormen, de wortels staan van alles wat zich in het zonlicht ontvouwt, zoals in mijn tuin hier. Zo gezien is het dus eigenlijk correct dat er niet over gesproken wordt. De enige manier waarop er over gesproken kan worden, is de kunst – en zo, langs die ondergrondse omweg, wordt er dus toch over gesproken.

> Een losgelaten (losgeslagen) wereld zweeft,
> Een ziel (een zucht) tussen zon en aarde,
> Zonder gewicht in licht en lucht
> En beeft
> Niet ter aarde besteld (?)
> En wordt vertrapt
> ...

'Ze ziet er opeens vijf jaar ouder uit,' fluisterde Felix in mijn oor.

Het was waar, ook leken haar haren plotseling ongewassen. Door Herbert te helpen had zij niet alleen hem maar ook zichzelf verloren. Toen zij sprak over het moment waarop zij te horen kreeg, dat hij had bekend haar brief te hebben geschreven, leek het of zij op het punt stond flauw te vallen; zij moest zich vastgrijpen aan de kist, op de voorste rij zaten een paar mensen klaar om haar op te vangen, maar zij herstelde zich. Aan het eind van haar krachten ging zij naar de katheder – en ineens is het of ik haar weer zie en haar laatste zinnen hoor spreken, daarginds in 1987:

'Hij deed dat natuurlijk om mij te helpen, zoals ik hem had willen helpen. Maar hoe had ik hem ooit kunnen bedanken? Hoe had hij *mij* kunnen bedanken? Het was allemaal veel en veel te ver gegaan. Onze liefde was veranderd in... in... ik weet niet hoe ik het zeggen moet... Maak van je hart geen moordkuil, hoor je wel eens. Onze liefde en zelfopoffering waren veranderd in zo'n moordkuil, maar zonder dat het daardoor minder liefde was. Misschien was het wel de grootste liefde die ooit tussen twee mensen bestaan heeft...' Zij zweeg even, terwijl haar gezicht veranderde in een gipsen masker. 'Als jullie er niet waren, Albert en Paula, had ik het niet overleefd. Pappa heeft het niet overleefd. Maar waarom kon *hij* het niet langer verdragen? Waarom voerde hij zelf uit, waarmee ik hem uit liefde had bedreigd?' vroeg zij en sloot haar ogen, alsof zij in zichzelf het antwoord kon vinden.

Pas op dat moment drong het tot iedereen door, dat Herbert een eind aan zijn leven had gemaakt. Ik zag dat Felix vragend zijn wenkbrauwen ophaalde, terwijl hij naar haar bleef kijken. De stilte in de aula werd zo diep als ik mij die op de noordpool voorstel. Ik weet nog goed dat ik mij beschaamd voelde, zelfs vermengd met iets van afgunst. Daar was iets gebeurd, waar mijn leven niet aan kon tippen. Ik was heel tevreden met mijn leven, en dat ben ik nog steeds, maar vergeleken met dat van die twee was het een saaie, onbeduidende aangelegenheid. Tegenwoordig ben ik zelfs al zielsgelukkig als ik eens een paar dagen geen enkele verplichting heb en mij de hele dag kan wijden aan mijn werk en mijn tuin. De tragedie, het grote drama is steeds aan mij voorbij gegaan, zoals aan de meeste mensen. Daar is iedereen blij mee, maar tegelijk is er een onstilbare honger naar catastrofes. Daarom zitten de bioscopen vol en barst de televisie bijkans uit haar voegen van de grote gebeurtenissen,– dat wil zeggen van surrogaatgebeurtenissen, waarin het drama is vervangen door actie, met auto's en schietpartijen en ondergangsvisioenen, en de tragedie door ruziemaken. Ik weet niet waar in Griekenland het graf van Sofokles is, maar als men daar ergens in de grond een vreemd geluid hoort, dan is hij het die zich omdraait. Niemand weet meer wat het woord 'tragedie' inhoudt: de botsing van twee onverenigbare waarheden. In overlijdensadvertenties lees je vaak: 'Ten gevolge van een tragisch verkeersongeval...' – maar een dood in het verkeer is nooit tragisch, zelfs niet dramatisch, uitsluitend stompzinnig.

Nog zoiets: 'Als door een wonder werd zijn leven gespaard'. Nooit zul je lezen: 'Als door een wonder vond hij de dood'.

Satie, *Gnossienne.* Magda zat weer tussen haar kinderen, haar armen om hun schouders. Ik voelde de neiging om mij tegen Felix aan te vlijen, mijn hoofd op zijn schouder, maar ik beheerste mij. Iets dromerigs was over mij gekomen. De muziek, de roerloze, zwijgende mensen, de kist die tegenover ons in bloei stond... na alle rampzaligheid die ik had gehoord, leek er nu iets eeuwigs te zijn neergedaald. Van mij mocht het een half uur duren, een uur, als een mystieke non liet ik mijn ziel vervloeien in die pure, gesloten cirkel, waaruit plotseling alle wanorde was verdwenen. En toen gebeurde er iets wonderbaarlijks. De muziek hield op, langzaam zwaaiden in de stilte de twee grote deuren aan de andere kant van de kist open en toonden iets totaal onwerkelijks: de natuur. Ingelijst door de starre, witte kunstlichtmuur wuifden de winterse bomen in het ongeloofwaardig blauwe licht van de wereld. Maar er stonden ook twee sombere rijen van elk vier roerloze, in het zwart geklede mannen, gescheiden door een ruimte zo breed als de kist, die naar binnen keken.

Als ze dat goed uitlichten bij Hypocriet kan het een schitterend slottafereel zijn van mijn monoloog. Het opnemen en wegdragen van de kist is dan misschien niet eens nodig.

'Maar hoe is nu het verhaal, waar de mensen volgens jou vandaag op af gekomen zijn?' vroeg ik, terwijl wij tussen de zerken de kist volgden. 'Waarom heeft hij er een eind aan gemaakt?'

'Misschien omdat hij vermoedde dat zij die brief had geschreven?'

'Dat begrijp ik niet. Ze deed het toch voor zijn bestwil? Ze hadden het toch gewoon uit kunnen praten?'

'Zou je zeggen, maar bij hen was niets "gewoon". Jij en ik zouden het uitgepraat hebben – behalve dan, dat jij nooit zo'n brief geschreven zou hebben en ik nooit in een rioolbuis was gaan zitten. Daar zijn wij te gewoon voor.'

'*Heeft* zij die brief eigenlijk wel geschreven? Heeft Herbert hem misschien toch zelf geschreven?'

'Vraag het hem.'

'Het is mij allemaal een raadsel.'

'Als het over mensen gaat, blijft er altijd een raadselachtige rest.'

'Die rest is dan misschien, wie iemand is,' zei ik, toen wij ons opstelden bij het graf. 'Misschien is precies dat het verhaal van Herbert en Magda Althans.'

Verantwoording

In 1876 bestond de novemberaflevering van Dostojevski's journalistiek-filosofische *Dagboek van een schrijver* uit een novelle: *De zachtmoedige*, met als ondertitel *Een fantastisch verhaal.* Het behelst de monoloog van een petersburgse pandjesbaas, die zijn jonge vrouw de dood in heeft gedreven; in afwachting van de lijkbezorger probeert hij met zichzelf in het reine te komen. In zijn voorwoord zegt Dostojevski dat het 'fantastische' van zijn verhaal schuilt in het feit, dat niemand er bij was om de verwarde ontboezemingen te stenograferen en tot een verhaal te bewerken, terwijl het er nu toch is. Vervolgens herinnert hij aan Victor Hugo, die in *De laatste dag van een ter dood veroordeelde* een nog groter onwaarschijnlijkheid had toegelaten: zelfs de gedachten van iemands laatste minuut staan er in opgetekend. Als hij dat niet had aangedurfd, zou zijn meest realistische en waarachtige meesterwerk ongeschreven zijn gebleven.

Ik op mijn beurt ben een stap verder gegaan en heb in het voorafgaande iets onmogelijks gewaagd. De situatie in het eerste deel van dit verhaal komt overeen met die van *De zachtmoedige* – met dit verschil, dat de man niet alleen is met zijn gestorven vrouw: honderd of honderdvijftig mensen luisteren naar hem. In dit opzicht is het dus niet 'fantastisch' in de zin van Dostojevski. Hetzelfde geldt voor het tweede deel. Zonder het tweede deel is het eerste mogelijk, en het tweede zonder het eerste. Maar hun combinatie is onmogelijk. Het zijn twee complementaire werelden, die elkaar uitsluiten. Hun samenvoeging tot een tweeluik leidt tot een constellatie, die van een andere orde is dan de 'onwaarschijnlijkheid' van Hugo. Zoals de ontboezemingen van Dostojevski's pandjesbaas tegenwoordig op een bandrecorder opgenomen hadden kunnen zijn, zo is het niet uitgesloten, zelfs in hoge mate waarschijnlijk, dat in het nu aanbrekende millennium een techniek wordt ontwikkeld waarmee iemands gedachten 'gelezen' kunnen worden, dus ook zijn laatste. De combinatie die dit diptiek vormt, daarentegen, is logisch en technisch tot in alle eeuwigheid onmogelijk, dat wil zeggen wonderbaarlijk. (Maar het blijft oppassen met dit soort voorspellingen: op den duur is misschien niets veilig voor de techniek, zelfs niet de logica.) Is het dus een absurd hersenspinsel? Misschien. Maar misschien ook niet. Misschien toont het nu juist de volledige waarheid. Ten slotte bestaat de absolute absurditeit ook in de gestalte van niets minder dan de hele wereld, die op een logisch onmogelijke manier is ontstaan uit niets. Ook wij maken deel uit van die absolute absurditeit – wij in de eerste plaats.

In die onmogelijke wereld van ons leeft ook Jules

Croiset, de acteur wiens wederwaardigheden het uitgangspunt vormden voor deze vertelling, die de lezer ten geschenke heeft gekregen. Naar aanleiding van de voorgenomen opvoering van Rainer Werner Fassbinders *Het vuil, de stad en de dood* schreef hij in 1987 een dreigbrief aan zichzelf en zijn gezin en ensceneerde zijn eigen ontvoering. Mijn tekst is geen beeld of interpretatie van zijn even fantastische als reële onderneming, die destijds veel opzien baarde, maar uitsluitend de aanleiding tot mijn eigen literaire avontuur. Ik heb mijn verbeelding er op losgelaten, en zoals het er nu ligt heeft het nauwelijks nog iets te maken met zijn lotgevallen. Mijn verhaal is niet waar of onwaar, zoals een feitenverslag,– als literair verhaal is het zijn eigen feit.

Ik wil hem en zijn bewonderenswaardige vrouw, die – anders dan de dramatis personae in mijn verhaal – beiden nog leven, zonder bovendien dood te zijn, bedanken voor hun medewerking. Bereidwillig gaven zij mij alle inlichtingen die ik hebben wilde; bovendien kreeg ik een afschrift van het politiedossier, met de verslagen van alle verhoren. Ook heb ik gebruik gemaakt van het boekje dat hij zelf heeft geschreven: *Met stomheid geslagen* (Uitg. Thoth, Amsterdam 1989). Het heeft de vorm van een aantal brieven aan een 'Edelachtbare'; de toon er van is misschien geïnspireerd – zonder dat hij zich er van bewust was – door Dostojevski's *Zachtmoedige*, dat deel uitmaakte van zijn voordrachtenrepertoire. Na lezing van mijn tekst heeft hij mij nog een aantal waardevolle aanvullingen gegeven.

Amsterdam, 1999

VAN HARRY MULISCH VERSCHEEN

POËZIE

Woorden, woorden, woorden, 1973
De vogels, 1974
Tegenlicht, 1975
Kind en kraai, 1975
De wijn is drinkbaar dank zij het glas, 1976
Wat poëzie is, 1978
De taal is een ei, 1979
Opus Gran, 1982
Egyptisch, 1983
De gedichten 1974-1983, 1987

ROMANS

archibald strohalm, 1952
De diamant, 1954
Het zwarte licht, 1956
Het stenen bruidsbed, 1959
De verteller, 1970
Twee vrouwen, 1975
De Aanslag, 1982
Hoogste tijd, 1985
De ontdekking van de hemel, 1992
De oer-Aanslag, 1996
Mulisch' Universum, 1997

VERHALEN

Tussen hamer en aambeeld, 1952
Chantage op het leven, 1953
De sprong der paarden en de zoete zee, 1955
Het mirakel, 1955
De versierde mens, 1957
Paralipomena Orphica, 1970
De grens, 1976
Oude lucht, 1977
De verhalen 1947-1977, 1977
De gezochte spiegel, 1983
De pupil, 1987
De elementen, 1988
Het beeld en de klok, 1989
Voorval, 1989
Vijf fabels, 1995
De kamer, 1997 (in *Mulisch' Universum*)

THEATER

Tanchelijn, 1960
De knop, 1960
Reconstructie, 1969 (in samenwerking met Hugo Claus e.a.)
Oidipous Oidipous, 1972
Bezoekuur, 1974
Volk en vaderliefde, 1975
Axel, 1977
Theater 1960-1977, 1988

STUDIES, TIJDSGESCHIEDENIS, AUTOBIOGRAFIE ETC.

Manifesten, 1958
Voer voor psychologen, 1961
De zaak 40/61, 1962
Bericht aan de rattenkoning, 1966
Wenken voor de Jongste Dag, 1967
Het woord bij de daad, 1968
Over de affaire Padilla, 1971
De Verteller verteld, 1971
Soep lepelen met een vork, 1972
De toekomst van gisteren, 1972
Het seksuele bolwerk, 1973
Mijn getijdenboek, 1975
Het ironische van de ironie, 1976

Paniek der onschuld, 1979
De compositie van de wereld, 1980
De mythische formule, 1981 (samenstelling Marita Mathijsen)
Het boek, 1984
Wij uiten wat wij voelen, niet wat past, 1984
Het Ene, 1984
Aan het woord, 1986
Grondslagen van de mythologie van het schrijverschap, 1987
Het licht, 1988
De zuilen van Hercules, 1990
Op de drempel van de geschiedenis, 1992
Een spookgeschiedenis, 1993
Twee opgravingen, 1994
Bij gelegenheid, 1995
Zielespiegel, 1997
Het zevende land, 1998